afgeschreven

Iep!

Kinderboeken van Joke van Leeuwen:

Theo Thijssenprijs 2000

De Appelmoesstraat is anders (1978)
Een huis met zeven kamers (1979) Gouden Penseel, Zilveren Griffel
De Metro van Magnus (1981) Zilveren Griffel
Sus en Jum (1985)
Deesje (1985) Gouden Griffel, Zilveren Penseel,
Deutscher Jugendliteraturpreis
*Het verhaal van Bobbel die in een bakfiets woonde en
rijk wilde worden* (1987)
We zijn allang begonnen, maar nu begint het echt (1988)
Zilveren Griffel
Duizend dingen achter deuren (1988)
Wijd weg (1991)
Dit boek heet anders (1992)
Het weer en de tijd (1993)
De wereld is krom, maar mijn tanden staan recht (1995)
Twee beleefde dieven (1996)
Bezoekjaren (1998) Woutertje Pieterse Prijs,
Jany Smelik Ibby-prijs
Kukel (1998) Zilveren Griffel
Ozo Heppie (2000)
Kweenie (2003) die 7 Besten Bücher
Slopie (2004)
Waarom een buitenboordmotor eenzaam is (2004) Zilveren Griffel
Ga je mee naar Toejeweetwel? (2005)
Heb je mijn zusje gezien? (2006) Gouden Penseel, Zilveren Griffel
Een halve hond heel denken (2008) Zilveren Griffel

Boeken voor volwassenen:

Laatste lezers (gedichten, 1994) C. Buddingh'-prijs
Vier manieren om op iemand te wachten (gedichten, 2001)
Vrije vormen (roman, 2002)
Wuif de mussen uit (gedichten, 2006)
Fladderen voor de vloed (verzamelde gedichten, 2007)
Alles nieuw (roman, 2008)

Joke van Leeuwen

Iep!

Amsterdam · Antwerpen

Em. Querido's Uitgeverij BV

2010

www.queridokinderboeken.nl
www.iepdefilm.nl

Bekroond met de Woutertje Pieterse Prijs 1997,
de Gouden Uil 1997, Jonge Gouden Uil 1997 en
een Zilveren Griffel 1997.

Eerste druk, 1996; tiende druk, 2004, elfde druk, 2005;
twaalfde en dertiende druk, 2007; veertiende
(uitgebreide) en vijftiende druk, 2010

Omslag Monique Gelissen
Omslagbeeld Sara Simpson en Richard Burridge
Foto's fotokatern Victor Arnolds

ISBN 978 90 451 1042 4 / NUR 283

NEEM DRIE LIJNEN.

BUIG ZE EEN BEETJE OM.

SCHUIF ZE TEGEN ELKAAR.

EN HIER IS HET LANDSCHAP WAARIN
DIT VERHAAL BEGINT.

DE ZON SCHIJNT ERBOVEN, MAAR
DIE PAST NIET OP DE BLADZIJ.
ER MOETEN NOG STRUIKEN BIJ EN
BOMEN.

EN PADEN.

DAAR LOPEN WEL EENS MENSEN OVER EN
TORREN EN SLAKKEN. TORREN EN
SLAKKEN WETEN NIET VAN ZICHZELF
DAT ZE DAAR LOPEN. MENSEN WEL.
ZOALS DIE MAN IN DE VERTE. HIJ KIJKT
NAAR DE VOGELS. EN HIJ WEET HET.

I

Warre hield van vogels. Naar vogels kijken vond hij een van de mooiste dingen die je in je leven kon doen. Veel mooier dan naar schilderijen kijken of naar de televisie.

Elke dag liep hij door het landschap dichtbij zijn huis. Dat landschap leek op drie gebogen lijnen met struiken en bomen en paden en de zon erboven, als het een mooie zomer was.

Hij had altijd een verrekijker bij zich, want vogels houden er niet van als je te dichtbij komt. En hij had een vogelboek. Daarin stonden alle vogels uit de wijde omtrek. Met hun naam, hun kleuren en hun gezicht.

(Of hebben vogels geen gezicht? Hebben alleen mensen een gezicht? Soms lijkt het of dieren een gezicht hebben. Soms lijkt het of mensen een kop hebben.)

Telkens als Warre een vogel zag, keek hij of alles klopte met wat er in zijn vogelboek stond. En als het klopte
kreeg hij een warm gevoel, ergens binnenin, ongeveer in
het midden. Hij wilde wel dat er van de hele wereld zo'n
boek was en dat alles klopte.

Op een dag, toen Warre weer door dat landschap
liep, keek hij onder een struik. Meestal deed hij dat niet,
meestal keek hij alleen naar de lucht. Of in de bomen.
Maar niet onder de een of andere struik. Nu deed hij
dat toch. Hij dacht opeens dat hij daar een vogel zag
liggen, een grote roofvogel. Maar er lag iets anders, iets
wat niet in zijn vogelboek stond. Iets met vleugels, dat
wel. En met pootjes. Het waren pootjes die erg op beentjes leken, op kleine beentjes met kleine teentjes eraan,
met kleine nageltjes op die teentjes en een klein pietseltje
aarde onder die nageltjes op die teentjes aan die beentjes.

8

Wat Warre daar zag liggen leek het allermeest op een mensenkindje. Alleen, het had veren in plaats van kleren. En waar de armpjes hoorden te zitten, daar zaten twee vleugels. Echte.

Even dacht Warre dat er een engeltje uit de hemel was gevallen. Maar hij wist wel dat dit geen engeltje was, want engelen hadden armen. Die hadden hun vleugels op hun rug en hun armen waar hun armen hoorden. Tenminste, de mensen denken al eeuwen dat dat zo zit bij engelen.

Nee. Dit was een vogel in de vorm van een meisje. Of een meisje in de vorm van een vogel. Of iets daartussenin.

Ze sliep. Misschien was ze te vondeling gelegd, dacht Warre. Zoiets deden de mensen al eeuwen als ze geen geld genoeg hadden, of als ze vonden dat hun kind niet klopte. Dan legden ze het ergens neer om gevonden te worden. Voor een deur. Of in een bloembak. Je zag ook wel eens grote mensen voor een deur liggen of in een bloembak, maar dat was wat anders. Niemand die dan dacht dat ze daar gevonden moesten worden.

Vogels legden ze nooit te vondeling.

Warre tilde het wezentje op en legde het in zijn armen. Heel even gingen er twee oogjes open en meteen daarna weer dicht. Hij keek het pad af, naar links, naar rechts, nog een keer naar links.

Hij zag niemand. Alleen twee torretjes.

'Hee!' riep hij. 'Is dit van iemand?'

Niemand gaf antwoord. Alleen een vogel krijste even, maar die vogel kende hij wel. Die stond in zijn boek.

Zo hard hij kop riep hij alle kanten op: 'Ik neem dit mee, hoor! Ik neem dit mee!'

En hij nam het vogelmeisje mee naar huis. Hij boog zijn armen zo dat ze een beetje op een nest leken. Op zijn rug bungelde de verrekijker.

Dit klopt niet, dacht hij almaar, ik kan niet geloven dat dit bestaat.

Maar het bestond. Hij kon het voelen.

ZIJN WIJ NIEMAND?
WETEN WIJ NIETS?   DOORLOPEN!

2

Warre woonde in een klein huis achter de heuvels, samen met zijn vrouw Tine. Het was een huis vol kieren. Als er soep gekookt werd terwijl je in bed lag, kon je dat in bed meteen ruiken. Maar meestal werd er dan geen soep gekookt, want wie in bed ligt heeft haast nooit zin in soep.

Warre kwam binnen met zijn armen vol. Eerst zag Tine er niets van, want ze keek naar de televisie. Daar zaten mensen met elkaar te praten over nare ziektes.

Over vreselijke vlekken.

Over akelige krimpingen.

Over ongelooflijke hoofdpijn.

Daardoor vergat Tine even dat alles goed met haar ging.

'Moet je nou kijken,' zei Warre.

Tine keek om.

'Wat heb je dáár?' zei ze.

'Ik heb dit gevonden,' zei Warre.

Tine keek met grote ogen naar het hoopje in Warres armen. Ze voelde er even voorzichtig aan.

'Deze klopt niet,' zei ze, 'deze heeft vleugeltjes.'

'Ja,' zei Warre, 'dit heeft beentjes.'

'Lag het zomaar los?'

'Ja. Het lag zomaar los. En er lag geen briefje bij. Ik heb nog gevraagd of het van niemand was en dat was zo.'

Tine nam de vondeling in haar armen. Ze probeerde even of de vleugels echt vastzaten.

'Ze leeft,' zei ze.

'Ja,' zei Warre, 'dus het moet wel bestaan.'

'Ik wil haar houden,' zei Tine.

Ze aaide over het slapende koppetje.

'Moeten we haar niet aangeven bij de politie? Dat moet toch met vondelingen?'

'Als het een mens is moet dat,' zei Warre, 'als je een vogel vindt dan hoeft dat niet.'

'Maar deze staat toch zeker niet in je vogelboek?'

'Nee. Dit is een te zeldzame soort. Misschien is er maar één van. En ik geloof dat het heel vroeger ook wel bestond.'

'Ik vind het meer een mens dan een vogel,' zei Tine.

'Je moet eens goed kijken,' zei Warre, 'het heeft twee pootjes. Dat lijken mensenpootjes, maar een vogel heeft ook twee pootjes. Het heeft een koppie. Het lijkt heel veel op een mensenkoppie, maar een vogel heeft ook een koppie. En het heeft twee vleugels. Dat hebben alle vogels en mensen hebben dat nooit. Dus is het meer een vogel.'

'Nou,' zei Tine, 'doe jij maar of het een vogel is, maar ik doe of het een mensje is. Ze moet melk en kleine stukjes fruit.'

'En graan. Probeer ook graan.'

Opeens deed de vondeling haar ogen open. En haar mond. Haar gezichtje werd rood van inspanning.

'Iep,' kwam eruit geperst, 'iep.'

En verder niets.

3

In de schuur achter het huis vond Tine een oude mand die op een bedje leek maar ook op een nest. Ze trok het vogelige meisje een hemd van Warre aan en legde haar in de mand, met een kussensloop als lakentje.

Warre haalde twee keukenstoelen. Ze gingen naast elkaar zitten en keken samen in de mand. Want aan iets nieuws in je huis moet je even rustig wennen.

'Niemand mag het weten,' zei Tine. 'Dit is te zeldzaam. En wat zeldzaam is wil iedereen wel hebben. We moeten haar vleugeltjes verstoppen.'

'Ja,' zei Warre, 'we moeten haar vleugeltjes verstoppen.'

Samen keken ze weer een poosje, zonder iets te zeggen.

Toen zei Warre: 'Ze moet een naam. Vogels hebben net zo goed namen, al kennen veel mensen die niet.'

'Nee, een vogelnaam, dat kan niet,' zei Tine, 'dat zijn van die moeilijke Latijnse. Die zijn te zwaar om te dragen.'

'Nietes,' zei Warre, 'vogels kunnen toch ook namen hebben die je heel makkelijk uitspreekt? Bijvoorbeeld mees of mus of merel of paapje of sijsje of putter of ral of kwak of fuut of kluut of kneu.'

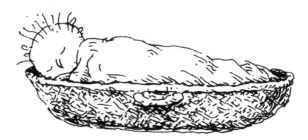

'Kneu,' zei Tine, 'ik vind het sneu als je kneu heet. Ik wil iets mooiers.'

'Het leuke is,' zei Warre, 'dat wij zelf een naam mogen bedenken voor onze vondeling, want wij hebben haar gevonden. En ik denk dat deze soort nog geen naam heeft, want hij staat niet in mijn boek. We kunnen zelfs onze eigen naam aan haar geven, want zo gaat dat bij ontdekkingen. Iemand ontdekt bijvoorbeeld een ziekte en dan geeft hij er zijn eigen naam aan.'

'Vindt zo iemand dat leuk, dat hij naar een ziekte heet? Ik wil niet naar een ziekte heten. Waarom praat je nou meteen weer over ziektes? Hebben we het net gezellig en dan ga jij over ziektes beginnen.'

Ze probeerden een heleboel namen. Ze spraken de namen uit terwijl ze naar de mand keken, om te zien of

ze wel pasten. Vliegje, zeiden ze, en Vleugje en Fietsbel
('Waar slaat dat nou op?'

'Ik probeerde het.').

Piepertje, probeerden ze, en Fladdertje en Flappertje
en Piepje en Juliana.

Maar uiteindelijk noemden ze haar Vogeltje. En daar
waren ze allebei tevreden over.

('Of toch Piepertje?')

('Nee, nee.')

('Nou goed dan.')

4

Warre en Tine kochten kleren voor Vogeltje, die van onderen pasten en van boven niet. Van boven knipte Tine
grote gaten, waar de vleugels doorheen konden steken.
En ze maakte zelf een wijde cape, een flapperjasje, waar-
onder ze verdwenen, zodat niemand kon zien dat Vogeltje vleugels had.

Ook kochten ze een kinderwagen, een mooie met witte
wolken erop. Ze legden Vogeltje erin. Nu leek ze net een
gewoon kindje, hun kindje. Ze keek naar de lucht en zei:
'Iep! Iep!'

Tine en Warre waren trots dat ze *Iep* kon zeggen. 'Ze
kent al een boom,' zei Tine.

Niemand mocht het weten van de vleugeltjes. Want dan zouden de mensen het aan elkaar doorvertellen. En dan zou iedereen komen kijken. Misschien zouden ze wel gaan denken dat Vogeltje een engeltje was, omdat ze niet goed waren voorgelicht over engelen. Dan zouden ze allemaal komen om dat engeltje te vragen iets voor ze te regelen. Bijvoorbeeld dat ze nooit meer last zouden hebben van vreselijke vlekken of akelige krimpingen of ongelooflijke hoofdpijn. En dat gaf veel te veel gedoe.

Soms keek er iemand in de kinderwagen. Dan kwam er een groot hoofd voor de lucht.

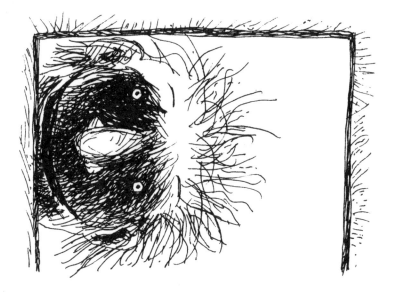

En soms zeiden er mensen: 'Is dat jullie kindje?'
    Dan zei Warre: 'We hebben het te leen.'

En dan wilden ze weten waar je een kind kon lenen, want dat leek hun wel handig, dat je er zelf een uitkoos en terugbracht als je er genoeg van had.

'Het komt van ver weg, hoor,' zei Tine tegen die mensen, 'je moet het weten, dat zoiets bestaat.'

En dan keek ze even snel in de kinderwagen.

Je kon twee bobbels zien. Maar bobbels, daar kon zoveel onder zitten.

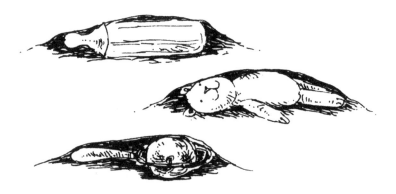

Wie zou er denken aan verstopte vleugels, zomaar op straat, in de zomer?

5

Vogeltje groeide hard. Het leek of er in één week met haar gebeurde waar een gewoon mensje een jaar over deed. Wel bleef ze kleiner en lichter dan een gewoon mensje.

Algauw kroop ze uit haar mand en probeerde ze te lopen. En leren lopen, dat is niet makkelijk. Alle beginnende wezens hebben er eerst veel moeite mee.

Maar Vogeltje kon het meteen. Telkens als ze bijna om-
viel, fladderde ze even en bleef ze toch rechtop. Ze had
er geen last van dat ze iets woog.

Ze deed het steeds beter en ze maakte er steeds vaker
sprongetjes bij. En die sprongetjes duurden steeds langer.
Ze fladderde wel een meter hoog, van de ene muur naar
de andere.

Warre en Tine zaten weer ieder op een keukenstoel en
keken ernaar.

'Zie nou toch,' zei Tine, 'wat is fladderen handig. Dat
heb ik nooit zo beseft. Heb jij ooit gedacht: kon ik maar
fladderen?'

'Nee,' zei Warre, 'nooit. Nooit dat ik dacht: ik mis wat. Maar het moet iets prettigs zijn, fladderen, iets lichts. Eigenlijk is het jammer dat wij niet kunnen fladderen.'

'Ik fladder wel eens in mijn hoofd,' zei Tine, 'maar aan de buitenkant kunnen wij dat niet.'

Ze probeerden het toch even, want je weet maar nooit. Ze klauterden op hun stoel, flapperden heftig met hun armen en kwamen met een bonk op de vloer terecht.

Ze gingen maar weer zitten.

Dat is makkelijk, zitten.

'Maar weet je, Warre,' zei Tine opeens, 'weet je wat ik zit te denken? Ze heeft geen armen. En ze heeft geen handen. Ze zal bijvoorbeeld nooit piano kunnen spelen, en dat zouden wij wel kunnen als we het konden.'

'Wat denk je dat het prettigst is om te kunnen,' zei Warre, 'pianospelen of fladderen?'

'Allebei moet het prettig zijn,' zei Tine. 'Vooral als je het meteen kan zonder het eerst te leren.'

Samen dachten ze hardop aan allerlei dingen die prettig waren om meteen te kunnen zonder het te leren. Dat ze opeens zouden merken, op een mooie morgen: hee, dat kan ik. En dat ze naar elkaar zouden roepen: 'Kijk nou es wat ik opeens kan!'

Ik kan tien talen tegelijk spreken!

Ik kan een dag lang doorrennen zonder moe te worden
of te struikelen!

Ik kan op vijf instrumenten tegelijk spelen!

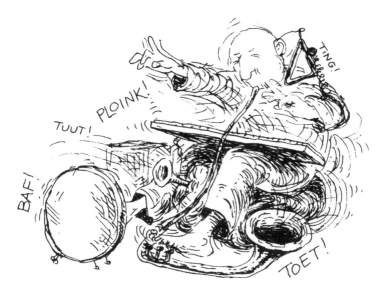

'Ik heb dorst,' zei Warre opeens.

'Ik kan thee zetten,' zei Tine en ze liep naar de keuken.

Vogeltje kwam voor de keukenstoelen staan. Ze keek naar Warre. Haar koppie werd helemaal rood. Ze flapperde heftig met haar vleugels.

En er kwam een woord uit dat ze nog niet eerder had gezegd. 'Piepie!'

6

'Hoorde je dat?' riep Warre tegen de keukendeur, 'ze zei *piepie*. Het is echt een vogeltje.'

Tine wilde weer gauw in de kamer zijn.

'Zei ze *Piepie? Piepie?* Dan probeert ze *papa* te zeggen! Heb je haar dat voorgezegd? Ze zegt *papa!*'

Vogeltje ging op de grond zitten. Haar koppie werd weer rood. Tine en Warre keken aandachtig toe. Iets werd van binnen voorbereid. Een ballonnetje van letters dat eruit zou ploffen. Een zuchtje lucht in de vorm van een woord.

Het kwam eraan. Ze werd helemaal gespannen. Ja, daar kwam het.

'Miemie!'

'Hoor je? Hoor je?' juichte Tine, 'ze zegt *mama!* Maar de a is nog een beetje moeilijk.'

Vogeltje bleef het zeggen.

'Piepie! Miemie!'

Een hele dag lang.

Het kwam er steeds makkelijker uit.

'Piepie. Miemie. Piepie. Miemie. Piepie. Miemie. Iep.'

En twee dagen later, zo omstreeks kwart over een, toen Tine alleen thuis was, en buiten de wind woei, en het donderdag was, toen zei ze opeens en helemaal plotseling: 'Ik miet un bieteriemetje mit pindekies.'

'Wát zei je daar?' vroeg Tine.

'Ik miet un bieteriemetje mit pindekies.'

'Ik versta het! Ik versta het!' riep Tine tegen de wind. Ze holde naar de keuken en smeerde een boterham heel dik met pindakaas. Ze smeerde een deel van het aanrecht mee, ze smeerde haar vingers mee en ze likte het mes zo heftig af, dat haar wangen bruin en kleverig werden.

Daarna sneed ze de boterham zo rustig mogelijk in kleine stukjes en voerde Vogeltje hapje voor hapje.

'Je práát,' zei ze, 'wat een geluk. Maar het is nog wel prietpraat hoor, want je zegt de aa niet. Het is niet pindekies maar pindakaas, met een aa. Zeg eens: aaaaaaaa-aaaaaaaaa.'

'Ie,' zei Vogeltje, 'ie.'

'Nee, het is aa,' zei Tine, 'aaaaaaaaaaaaaaaaaaaaaaa.'

'Ie,' zei Vogeltje.

'Zeg dan eens ee, eeeeeeeeeeeeeeeeeeeeeeeeeeeee.'

'Ie,' zei Vogeltje.

'Zeg dan eens oo, ooooooooooooooooooooooooooo.'

'Ie,' zei Vogeltje.

'Zeg dan eens uu, uuuuuuuuuuuuuuuuuuuuuuuuuuu.'

'Uu,' zei Vogeltje.

'Ja, goed zo!' riep Tine, 'heel beleefd. Maar nu aaaaa.'

Vogeltje zei niets meer.

'Kun je je naam zeggen?' vroeg Tine.

Vogeltje zei niets meer.

'Toe nou, één keertje maar: Vogeltje, Vogeltje, Vogeltje. Zeg het dan, anders krijg je geen pindakaas meer.'

'V... V... Viegeltje,' zei Vogeltje.

Die avond kwam Warre weer thuis met zijn vogelboek en zijn verrekijker.

'Ik heb met haar geoefend,' zei Tine. 'Ze kan de aa en de oo niet. Ze kan haar eigen naam niet zeggen. En dat mag niet, Warre, want als je je eigen naam niet kunt zeggen, kun je niet zeggen wie je bent. Ze zei Viegeltje in plaats van Vogeltje. Ze moet maar Viegeltje heten.'

'O,' zei Warre, 'ja. Dan moet ze maar Viegeltje heten.'

Dus voortaan heette ze Viegeltje.

7

Warre en Tine zaten aan de soep. Het was soep met vermicelli. Vermicelli in de vorm van lettertjes. Ze visten
woorden. Wie een woord had, at het op.

Tine at put en bos en zo. Warre at mis en vet en kus.
En per ongeluk fon, wat niks is, maar even goed smaak-
te.

'Warre,' zei Tine opeens.

'Mmm?' zei Warre.

'Ons Viegeltje heeft een spraakgebrek.'

'Och,' zei Warre, 'er zijn er zoveel met een spraakgebrek. Meestal met de r. Sommige spgeken de eg als een
gee uit. En andejen zeggen ook almaaj een jaaje ej. Verder zijn die goed gezond, hoor.'

'Ja maar ze heeft ook geen handen. Zonder handen en
met een spraakgebrek, daar kom je toch niet ver mee in
het leven?'

'Met vogels hoef je al die dingen over later toch niet te
bedenken?'

'Maar ze ís niet echt een vogel! Vogels zeggen nóóit: ik
miet un bieteriemetje mit pindekies! Dat zéggen ze niet!
O, Warre, hoe moet het met haar? Het is niet duidelijk
wat ze is, ze zal nooit weten waar ze vandaan komt, ze
heeft geen handen en ze heeft een spraakgebrek.'

'Maar ze heeft toch vleugeltjes?!' zei Warre.

Tine begon opeens te huilen in haar soep. Er kringel-
den rondjes in van vallende tranen. Allemaal letters o.

'Had je niet een gewoon kindje kunnen vinden? Eentje met armen zoals ik? Dat iedereen ze mocht zien en
dat ze allemaal zouden zeggen: "Goh, wat lijkt zij op u?"
Zo eentje? Wat kun je nou met vleugels?'

'Je kunt er heus wel wat mee,' probeerde Warre haar te sussen, 'er zijn altijd wel dingen die hoog moeten gebeuren. Luchtpost wegbrengen of zo. Of dingen van bovenaf controleren.'

'Wat voor dingen?'

'Dat weet ik niet precies, maar ik weet wel dat er heel veel van bovenaf gecontroleerd wordt en dat gaat heel goed met vleugels.'

'Echt?'

'Echt! Ze heeft iets wat anderen niet hebben.'

'Fof,' zei Tine.

'Wat?'

'Fof. Ik ga het woord fof opeten.'

En dat deed ze.

Met haar mond dicht.

8

Warre was weer weg om te kijken of de vogels klopten met zijn boek. Tine ging al jaren niet mee. Eén keer was ze mee geweest, maar toen mocht ze maar heel even de verrekijker hebben en ze mocht almaar niet het boek vasthouden.

Tine bleef thuis, bij Viegeltje. Eigenlijk was ze vergeten hoe haar leven eruitzag toen Viegeltje er nog niet was. Ze was almaar bezig met Viegeltje. Ze oefende haar in spreken. Ze begon met zinnetjes waarbij het niet zo opviel dat Viegeltje een spraakgebrek had.

Bijvoorbeeld:

Hier stierf de mier.

Drie vrienden zien een lieve brief.

Ze oefende haar in netjes naar de wc gaan. Maar Viegeltje wilde niet naar de wc. De tuin was voor haar de wc. Er moest altijd een raam openstaan, voor als Viegeltje moest.

Ook oefende ze Viegeltje in netjes eten.

Ze stopte een lepel tussen haar vleugels, maar die viel op de grond.

Ze stopte een lepel tussen haar tenen, maar daar kon ze met haar mond niet bij.

Toen maakte Tine een speciale verlengde lepel. En met heel veel moeite kwam er zo een hapje naar binnen. 'Iep, miemie, iep,' zei Viegeltje. Ze fladderde boven op de servieskast. Daar bleef ze zitten. Ze keek naar beneden.

'Kom terug aan tafel,' zei Tine. 'Je bent nog niet klaar met eten. Dan mag je nog niet van tafel.'

'Iek,' zei Viegeltje.

'Het moet,' zei Tine.

'Hier,' zei Viegeltje.

'Ah joh,' zei Tine, 'kom nou gezellig naar beneden, het is zo ongezellig als je zo hoog zit.'

Viegeltje fladderde weer naar beneden.

'Nu moet je ook weer aan tafel komen,' probeerde Tine.

Maar Viegeltje scharrelde over de vloer en bukte af en toe om iets naar binnen te zuigen. Een spinnetje dat net zelf iets wilde gaan eten. Een oorwurm die de weg kwijt was.

'Getsie, wat doe je daar?' riep Tine.

'Njiemjiem,' zei Viegeltje.

'Spuug uit. Je eet van de grond. Dat kan niet. Spuug uit.'

Maar Viegeltje had de beestjes al ingeslikt.

Ze vond ze lekker.

9

Warre kwam later thuis dan anders. Er waren veel vogels in de lucht geweest die dag, en ook veel andere dingen, zoals vliegers, modelvliegtuigjes en pluisjes. Vooral veel pluisjes.

'Ik had een drukke dag,' zei Warre.

'Ik ook,' zei Tine, 'ik heb Viegeltje geleerd om met mes en vork te eten, of eigenlijk met lepel. Ik zal het je laten zien.'

Ze pakte een schoteltje en liep ermee naar buiten. Even later kwam ze terug. Op het schoteltje lagen een paar regenwurmen, met een spinnetje erbij voor de versiering.

'Dit lust ze nog liever dan pindekies,' zei Tine, 'en ik vond het eerst erg vies, maar je moet begrip hebben, en dat heb ik, want wij eten ook stukjes koeienbil en gebakken vleugels en slakken en zo.'

Ze zette Viegeltje aan tafel en hield haar vast. Ze schoof de extra lange lepel tussen Viegeltjes tenen en legde er een wurm op. Viegeltje at de wurm met de lepel. Maar zodra Tine haar losliet, slurpte ze de rest zo van het schoteltje naar binnen.

'Ze kán het wél,' zei Tine.

'Ja maar Tine,' zei Warre, 'als Viegeltje zo eet, zit ze almaar met haar voeten op tafel. Hoe kunnen we ooit iets deftigs met haar gaan eten in een restaurant als ze almaar met haar voeten op tafel zit?'

'Ze kan toch ook niet met haar gezicht in haar bord liggen slurpen?'

Nee, dat was waar. Eten deed je rechtop aan een tafel. Hoewel het best op andere manieren zou kunnen.

Op een snelle manier

of een slordige manier.

Op een luie manier

of een onhandige manier.

Wacht maar,' zei Warre, 'ik zal iets maken waardoor ze mooi rechtop kan blijven zitten als een mens en tóch kan eten als een vogeltje.'

Hij verdween meteen naar het schuurtje. Daar bleef hij wel twee uur bezig. Tine mocht er niet in de weg komen lopen. En ook niet op zijn vingers komen kijken. En al helemaal niet vragen of het klaar was omdat de soep ook al klaar was.

Toen kwam Warre weer tevoorschijn. Hij was erg tevreden met zichzelf. Hij had een flappergestuurd eetapparaat gemaakt. 'Geconstrueerd,' zei hij, want dat klonk knapper. Hij wist zeker dat dit het eerste flappergestuurde eetapparaat van de hele wereld was, hoewel hij zelf nog maar in twee buitenlanden had rondgekeken.

Ze probeerden meteen of het werkte. Viegeltje moest fladderen en flapperen zonder op te stijgen, zo maakte ze wind. En door die wind ging het apparaat werken.

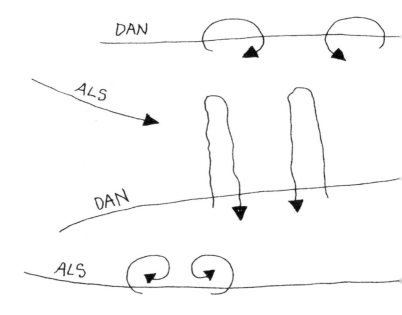

Het was vermoeiend voor haar vleugels en soms vergat ze haar koppetje in de goede stand te houden.
Maar van al dat wind maken werden haar vleugels wel
sterker. Het werden vleugels om trots op te zijn.

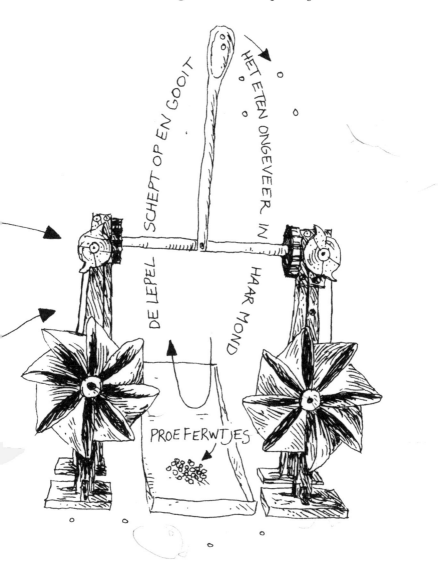

'Kom,' zei Tine op een dag tegen Viegeltje. 'Je kunt nu zo goed lopen, we gaan samen een eindje lopen in de stad. Ik heb mooie rode schoentjes voor je gekocht, die mag je aan. En ik heb een nieuw hemelsblauw flapperjasje voor je gemaakt. Maar denk erom. Je mag je vleugels niet gebruiken.'

Ze haalde de nieuwe jas tevoorschijn en hing die om Viegeltjes schouders. Ze pakte de nieuwe schoenen en schoof ze over Viegeltjes voeten.

'Ze staan prachtig,' zei ze.

Tine kon niet ophouden naar de schoenen te kijken. Ook toen ze in de stad waren keek ze almaar naar die schoenen. Om dat mooie bewegende rood.

Ze hield Viegeltje aan haar jasje vast. Je zag er niets van, dat Viegeltje geen armen had. Ze zag eruit als een gewoon klein meisje met een moeder en rode schoentjes.

Ze kwamen niemand tegen die hun naam kende. Er was ook niemand die *goedemorgen* zei of *kijk-es-aan*. Er hingen wel veel bordjes in de winkels met *welkom* en *dank u wel* en *kom nog eens langs*. Aardige bordjes waren dat.

Ze slenterden wat langs de winkelruiten. Soms bleef Tine voor een etalage staan. Dan koos ze met haar ogen uit wat ze het mooiste vond of het lekkerste.

En dan kocht ze dat toch niet.

Viegeltjes nieuwe schoenen begonnen te knellen. Ze ging er steeds langzamer van lopen. Het duurde even voor Tine begreep dat het van de nieuwe schoenen kwam.

'We zullen even ergens uitrusten,' zei ze, toen ze het eindelijk had begrepen.

Ze stapten een groot café binnen en gingen er aan een tafeltje zitten. Tine bestelde voor zichzelf een kopje thee met een vleugje oerwoudsmaak. Er lag een dikke bonbon bij die het heel warm had gekregen naast de thee. Voor Viegeltje werd het limonade met een rietje, want daar had ze geen handen bij nodig.

De wanden en het plafond van het grote café waren helemaal beschilderd met landschappen, net of je eigenlijk buiten zat. En bovenin, in de lucht, zweefden dikke blote engeltjes die deden alsof ze het plafond vasthielden, zodat het niet naar beneden kon vallen. En het plafond was een lucht vol sterren waar het tegelijkertijd dag was en nacht.

Viegeltje kon haar ogen niet van de schildering afhouden. Ze werd er heel onrustig van.

'Viegen,' zei ze, 'vliegen.' En ze begon zenuwachtig te flapperen met haar vleugeltjes.

'Hou ze stil, hou ze stil,' siste Tine, 'als ze merken dat je vleugeltjes hebt, kun je nooit meer rustig limonade drinken.'

Maar Viegeltje bleef flapperen met haar vleugels.

Nu werd Tine ook heel onrustig. Ze dacht dat iedereen op haar lette. Dat iedereen dwars door het flapperjasje heen twee vleugels zou zien zitten. Dat ze wel allemaal naar haar toe zouden komen en zouden zeggen: 'Verbergt u maar niks. Wij hebben het wel gezien. Wij zullen haar naar de politie brengen. Of naar de dierentuin.' Of zoiets. Iets heel vervelends in elk geval.

'Wat heb je toch?' zei ze tegen Vliegeltje, 'moet je plassen? Kom dan. Je kunt het hier niet in de tuin doen. Voor één keer moet het maar op de wc.'

Ze pakte Vliegeltje bij haar jasje en trok haar mee. Achter een deur waar *Dames* op stond was een halletje met spiegels, en daarachter was de wc. Hier was gelukkig niemand. Hier mocht Vliegeltje even flapperig doen.

'Ga maar plassen,' zei Tine. Ze zette Viegeltje op de wc-pot en ging zelf in het halletje voor de wc-deur staan. De deur mocht niet op slot.

Er kwam een andere vrouw binnen.

'Wacht u ook?' vroeg de vrouw.

'Min of meer wel,' zei Tine.

'Ja want weet u,' zei de vrouw, 'ik ga altijd naar de wc voordat ik echt moet, want als je echt moet dan kun je niet wachten en meestal moet je wachten. Dus dan wacht ik liever tot ik echt moet. Denkt u niet? Of hebt u daar een ander idee over?'

'Ik denk er nooit zo bij,' zei Tine. 'Als het moet, dan

moet het en dan gebeurt het ook.'

'Zo is dat ook weer,' zei de vrouw, 'en wat is het evengoed een gedoe, hè. Een paar keer per dag moet er van boven wat in, en een paar keer per dag moet er van onderen wat uit. En toch houden we nog heel veel tijd over voor andere dingen, vindt u niet? Heel wat dieren zijn met niks anders bezig dan dat.'

Ze had een pukkel op haar wang. In de spiegel keek ze ernaar van heel dichtbij. Ze trok haar mond helemaal scheef. Die scheve mond viel veel meer op dan die pukkel.

'Nu moet ik toch echt, hoor,' zei ze, 'schiet het daarbinnen niet op?'

Tine keek of Viegeltje klaar was.

Om het hoekje van de wc-deur keek ze.

En toen deed ze de deur helemaal open.

Ze zag de wc-pot.

Ze zag de dichte klep van de wc-pot.

Ze zag twee rode schoentjes, naast elkaar, op de dichte klep van de wc-pot.

Ze zag een open raampje boven die twee lege rode schoentjes op die dichte klep van die wc-pot. De opening was te krap voor grote mensen, maar groot genoeg voor kleine mensen.

En achter dat raampje zag ze de blauwe lucht.

De grote lege blauwe lucht.

De veel te grote, veel te lege blauwe lucht.

'Viegeltje!' riep ze, 'vlieg niet weg! Ik wil niet dat je wegvliegt!'

Maar Viegeltje kon dat al niet meer horen.

II

Die avond riep Warre, toen hij thuiskwam van het vogels kijken: 'Tine! Ik heb er net zo een zien vliegen als Vliegeltje. Er bestaat er nog een. Net zo hemelsblauw!'

Opeens hield hij zijn mond. Hij zag Tine zitten. Ze was een beetje verkreukeld en wit. Rond haar ogen was het rood, bijna zo rood als de rode schoentjes die op de vloer stonden.

'Dat blauwe,' stamelde hij. 'Was het? Maar? Hoe kan? Of niet?'

'Ja,' snotterde Tine, 'het is precies zoals je het zegt.'

Ze gingen naast elkaar zitten op hun keukenstoelen. Ze sloegen hun armen om elkaar heen.

'O Warre,' zei Tine.

'O Tine,' zei Warre.

'Ik kon er niks aan doen,' snikte Tine.

Je houdt het niet tegen,' zei Warre. 'Zo gaat dat met vogels. Opeens vliegen ze weg.'

'Maar het is toch veel te gauw? Ze weet nog niet eens hoe ze een eitje moet bakken. En ik had haar nog zoveel leuke liedjes willen leren die ik weet.'

Het eetapparaat stond doelloos bij de tafel. Het was zo mooi uitgevonden.

Een smakelijk spinnetje kroop naar het plafond.

'Had ik haar nooit mee naar huis moeten nemen?' zei Warre.

'Jawel. Jawel. Anders had ik niet geweten wat ik miste. Dat dacht ik wel eens: wat mis ik toch? Nu weet ik iets.' Ze raapte een veertje op dat over de vloer dwarrelde.

'Heb je gevoeld hoe zacht haar veertjes waren aan de binnenkant van haar vleugels?' vroeg ze.

'Ja,' zei Warre, 'lekker zacht.'
'En wat kon ze al veel zeggen.'
'Ja, hiel viel.'
'Nou.'
'Goh.'
Ze zwegen een poosje. Toen zei Warre: 'Hadden we ook maar vleugels, dan vlogen we haar achterna.'

Maar de meeste mensen die ooit vleugels hebben gemaakt, zijn weer naar beneden gevallen. Knutselvleugels maakten ze. En die hielpen niet.

12

Ver weg en zonder schoenen vloog Viegeltje door de lucht. Van het land af gezien leek ze nog het meest op een grote roofvogel. En roofvogels zijn beschermd, die laten de mensen met rust.

Onder zich zag ze grote bossen, zo dicht dat het leek of er niemand in kon. En meren zag ze met zeilboten erop. Die zeilden van de ene kant naar de andere en weer terug, zonder te botsen en zonder echt ergens naartoe te moeten. Ze zag veel mensenpoppetjes, maar ze kon van zo ver niet zien wie een mannetje was en wie een vrouwtje.

Ze vloog mooi. Het leek op schoolvliegslag, rugvliegen, luchttrappelen.

En toen zag ze onder zich de hoofdstad. Ze zag schoorstenen en daken. Ze zag een park met bomen. Ze zag torens.

Ze zweefde naar beneden en ging ergens op een plat dak tegen een schoorsteen aan zitten. Haar linkervleugel deed pijn, helemaal achteraan en dan een beetje van onderen.

Naast het platte dak was een schuin dak, met een dakraam dat openstond. Daar vloog ze naartoe. Even bleef ze in de dakgoot zitten om te kijken of het daarbinnen rustig was. Een stil kamertje zat er achter dat raam, met een bed en een stoel en een kast en een boekenplank, met speelgoed op de grond en grote platen aan de muur. Viegeltje fladderde het kamertje in en ging op het bed liggen. Haar fladderjas bleef aan, want ze kon niet met haar tenen bij het knoopje.

Ze sliep meteen in en de stilte bleef bij haar in het kamertje.

Ze merkte niet dat er een lekkere dikke vlieg over het plafond wandelde. Dat de lucht langzaam grijs werd met een beetje zeepgroen erdoorheen. Dat er een meisje binnenkwam dat de stilte wegjoeg.

Loetje heette het meisje. Ze zag meteen dat ze bezoek had. Ze zag Viegeltjes blote voeten met de tenen met de nagels met een beetje aarde eronder.

En ze zag haar vleugels.

Ze was niet verbaasd. Helemaal niet. Ze had altijd wel gedacht dat er een keer bijzonder bezoek zou komen. Ze had in elk geval heel vaak heel sterk en met haar ogen dichtgeknepen zitten hopen dat er op een dag een bijzonder iemand in haar kamer zou zijn als ze thuiskwam.

Zo een bijvoorbeeld.

IK BEN ONDERSTEBOVEN GEBOREN

Of zo een.

IK BEN MET MIJN TWEEËN

Of zo een.

ZULLEN WE KAPPERTJE SPELEN?

En nu was het gebeurd. Ze wist nu welke manier van hopen het beste lukte.

Even voelde ze aan de vleugels of die eraf konden. Daar werd Viegeltje wakker van.

'Hoi,' zei Loetje, 'ik had het al gehoopt.'

'Iep,' zei Viegeltje.

'Jij bent zeker helemaal zelf naar binnen gevlogen met die vleugels.'

'Miemie,' zei Viegeltje.

'Ik dacht het wel,' zei Loetje. 'Ze zitten goed vast. Dat is handig. Want als je een vleugel verliest val je naar beneden.'

'Piepie,' zei Viegeltje.

'Ik hoop dat je niet meteen weer weg moet,' zei Loetje, 'want dat zou jammer zijn. Als mijn vader je ziet, moet je weg. En dat wil ik niet. Hoe heet je?'

'Viegeltje,' zei Viegeltje.

'Ik heet Loetje.'

Loetje woonde samen met haar vader in het huis. Haar vader had het erg druk. Het leek wel of hij alles moest regelen. Dat het verkeer aan de goede kant bleef rijden, dat de herfstbladeren werden weggeveegd voor de winter kwam, dat de huizen rechtop bleven staan. Alles. Hij was een beslommerd man en zo zagen zijn hoofd en zijn broeken er ook uit. Bezoek kon hij meestal niet gebruiken. Loetje kon hij meestal ook niet gebruiken. Dat zei hij dan: 'Ik kan jou nu even niet gebruiken.' Terwijl je Loetje voor van alles zou kunnen gebruiken.

BIJVOORBEELD ALS KERSTBOOM

OF ALS KRUIMELDIEFJE

'Kun je die vleugels ergens krijgen?' vroeg Loetje.
'Iep,' zei Viegeltje.
'Zeker in een ander land.'

Loetje had in haar eigen land nog nooit iemand gezien met vleugels. Maar het verbaasde haar niets dat het bestond. Ze wist van de televisie dat er mensen waren die van een man een vrouw konden maken en andersom. En dat ze perziken en pruimen helemaal door elkaar heen konden laten groeien. En misschien bijvoorbeeld ook wel bessen en appels. Dan kreeg je beppels of bapsels of zoiets. En dat ze losse vingers en benen en stukjes vel weer konden vastmaken waar en wanneer ze maar wilden. Ze had op de televisie van heel dichtbij gezien dat ze een losse vinger aannaaiden. Doordat het van zo dichtbij was gefilmd, kon ze niet goed zien waar de vinger aan vast werd genaaid. Waarschijnlijk ergens waar die niet te veel opviel.

Dus waarschijnlijk niet op iemand z'n voorhoofd

of aan iemand z'n voeten.

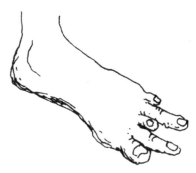

Viegeltje ging rechtop zitten. Ze fladderde even om haar evenwicht te vinden.

Toen nam ze een hap adem en zei: 'Ik miet un biete-riemetje mit pindekies.'

Loetje keek haar even aan. Ze begreep het.

Ze zei: 'De pandekaas is ap. Ak hab chacapasta.'

Ze liep naar beneden en maakte twee boterhammen klaar, een voor Viegeltje en een voor haar eigen maag. Kleine stukjes maakte ze ervan, want haar bezoek had geen handen.

Zodra Viegeltje haar boterham kreeg boog ze voorover en hapte en zoog ze het eten naar binnen. Loetje wilde ook zo eten, maar telkens als ze een stukje met haar lippen kon vangen, bleef er een ander stukje aan haar neus plakken.

'Ik wil je houden,' zei Loetje.

En ze deed het dakraam dicht.

13

Warre en Tine wandelden door het landschap bij hun huis. Tine had gezegd dat ze zo alleen zat als Warre weg was. En binnenblijven vond ze opeens moeilijker dan ooit. Viegeltje was er veel te veel niet. Niet aan de tafel, niet op de kast, niet in de mand. Ze was zo overal niet, dat Tine niet niet kon denken aan dat ze er niet was.

Ze ging daarom eigenlijk toch maar liever mee om naar de vogels te kijken.

Warre vond het goed. En ze mocht ook vaak het boek vasthouden en de verrekijker. Maar naar de lucht kijken, dat lukte niet best. Het verdriet zat nog te zwaar aan de voorkant van hun hoofd.

Ze besloten naar de stad te gaan. Daar waren veel andere mensen. Ze kenden die niet en ze hoefden ook niets tegen hen te zeggen, maar die andere mensen maakten het minder leeg om hen heen. En in de stad konden ze zichzelf trakteren op een lekker hapje. Lekkere hapjes kunnen je troosten. Een aai kan je ook troosten. Misschien kan aaien met een lekker hapje je wel dubbelop troosten. Maar zoiets wordt niet veel gedaan.

In de stad gingen ze naar een eetcafé met zachte banken en warme kleedjes op de tafels. Ze keken extra lang op de kaart, want als je iets uitkiest en achteraf toch eigenlijk liever iets anders had gewild, dan werkt dat troosten niet meer zo goed.

Ze kozen een kledderig gebakje, met veel pudding, vrolijke gele pudding die je zo naar binnen slikte. En ze namen een kopje koffie met veel slagroom.

Nu hadden ze wat te doen. Zorgen dat het bladerdeeg onder de pudding aan het vorkje bleef hangen zonder te breken. Zorgen dat de pudding niet van het vorkje gleed. Zorgen dat ze geen witte snor kregen van de slagroom. En kruimels opvissen met een natte wijsvinger en tussen hun kiezen kauwen tot nog kleinere kruimels.

'Warre,' zei Tine.

'Ja?' zei Warre.

'Ik snap wel dat ze wegvliegt, als ze zo'n drang heeft die vanzelf komt, maar dan kan ze toch wel *dag* en *tot ziens* zeggen of zo? *Dieg* en *tiet ziens?* Nu is ze weggegaan zonder dag te zeggen.'

'Ja,' zei Warre. 'Vogels weten dat misschien niet.'

'Maar ik heb het haar geleerd. Dat wij *dag* zeggen en *eet smakelijk* en *hoe gaat het met u* en *mag ik even passeren*. Als ze weg moet vliegen, kan ik het niet tegenhouden, maar ik zou zo graag, zo heel erg graag, nog even *DAG* kunnen zeggen *gá maar als je moet*, en haar dan laten gaan. Dat voelt net zo als een punt aan het eind van een zin. Als er een punt staat, kun je een nieuwe zin beginnen. Als er geen punt staat, is de zin niet af, dan weet je niet, dan blijf je almaar, dan denk je nog, snap je...'

'Maar ze is al niet meer hier, Tine.'

'We kunnen haar toch gaan zoeken? Alleen om nog even *goeie reis* en *kom je nog eens langs* te zeggen?'

'Ja, maar hóé moeten we zoeken? Er zijn zoveel rich-
tingen.'

'We kunnen het vragen. Of iemand misschien weet
waar iemand die wegvliegt naartoe zou kunnen vliegen...
Ik heb gelezen dat je in de hoofdstad allemaal informatie kunt krijgen. Ze zeggen dat ze over alles iets weten en
overal antwoorden vandaan kunnen halen. Ze kunnen
een antwoord halen uit China of zo, als jouw antwoord
in China ligt bijvoorbeeld. Er is ongelooflijk veel informatie, die ligt opgeslagen voor de hele mensheid. Zouden ze ons dan niet kunnen helpen?'

'Ja maar,' zei Warre, 'dan moeten we het zeggen van
die vleugeltjes. Dan kunnen we het niet langer verstoppen.'

'We moeten het op zo'n manier zeggen dat ze het
snappen en toch niet echt weten, begrijp je? Dat moet
kunnen. Zelf weet ik ook van alles niet terwijl ik het toch
wel een beetje begrijp.'

'Ja, dat weet ik,' zei Warre. Maar eigenlijk begreep hij
het niet.

Tine plukte weer iets met een natte vinger van haar
schoteltje. Ze at het op. Warre zag het. Het was een heel
klein soort vliegje. Ze lustte dat.

14

'Ik ga pindakaas kopen,' zei Loetje tegen Viegeltje, 'daar hou je van. Blijf maar rustig hier. Ik ben zo terug. Ik zorg heel goed voor jou.'

En ze ging naar buiten om pindakaas te kopen. De grootste potten wilde ze vinden, met de smeuïgste pindakaas, met de echtste stukjes pinda erin.

Viegeltje bleef alleen achter. Eerst scharrelde ze wat over de vloer. Ze vond insectjes onder het bed, maar die waren niet vers meer en er zaten wolkjes stof aan. Toen begon ze rond te fladderen. Steeds wilder fladderde ze. Tegen het dakraam, maar dat zat dicht. Tegen de deur, maar die was ook al dicht. Tegen de boekenplank. Er vielen boeken en schriften af. Viegeltjes linker kleine teen bloedde een beetje van de botsing met de boekenplank. Van schrik deed ze een klein poepje op de vloer. Ze werd er moe van en ging op bed liggen. Haar linkervleugel deed weer pijn, helemaal achteraan en dan een beetje van onderen.

'Iep iep iep,' riep ze tegen de wolken buiten.

Eindelijk kwam Loetje terug met twee potten pindakaas die er gewoon uitzagen.

'Wat heb je nou gedaan?' zei ze. Ze haalde een handdoek, veegde het kleine poepje weg en gooide de handdoek zo in de prullenbak. Ze raapte de schriften van de vloer. Er zaten nog schriften bij van toen ze begon met schrijven. Hele rijen a's en o's stonden erin. Die kon Viegeltje niet zeggen. Misschien had je daar armen en handen voor nodig, om die goed te kunnen zeggen. Daarom waren er zeker zoveel mensen die almaar met hun armen en handen wapperden als ze stonden te praten.

59

Er waren gelukte a's en o's.

En er waren mislukte a's en o's.

Die konden best gebruikt worden als nieuwe letters, voor geluiden die nog geen letters hadden. Er bestonden genoeg geluiden die nog geen letters hadden. Geluiden met veel spuug erdoor. Of geluiden die je maakte terwijl je inademde of je tong uit je mond stak.

Ze keek in een ander schrift. Ze had al haar schriften mee naar huis mogen nemen toen de vakantie begon.

In dat schrift stond dat zandgrond arm was. Dat had ze moeten leren, dat het een zielig soort grond was, eigenlijk. Maar het strand lag vol zand en daar kon je kastelen van bouwen. Daar was niets zieligs aan. Behalve als ze instortten. Dat was wel jammer voor het arme zand.

Opeens hoorde Loetje dat haar vader de trap op-kwam.

'Gauw,' fluisterde ze, 'onder mijn bed.'

Ze pakte Viegeltje op en schoof haar onder het bed, als een pakketje.

Haar vader kwam binnen. Hij was lang, heel lang. Hij paste maar net onder het plafond. Hij keek nooit onder het bed. Daarvoor moest hij te veel van zichzelf opvou-wen.

Hij zei dat het eten klaar was. Macaroni met ham en haast. En dat hij de volgende dag weer weg moest om veel te regelen. Het zou een week gaan duren, dacht hij. De oppas zou komen logeren.

De oppas kwam wel vaker logeren als hij een poosje weg moest. Het was een vrouw die studeerde. Ze wilde hogerop komen. Ze maakte eten uit kant-en-klaarpak-ken. Loetje kreeg dan een volgeschept bord. Ze mocht voor de televisie eten en dat mocht ze van haar vader nooit. Dat vond ze leuk, behalve als er op de televisie zo'n bloederige operatie was van dichtbij. Dan lustte ze opeens niet zoveel meer.

15

De volgende dag namen Warre en Tine de trein naar de hoofdstad. Tine had een grote tas bij zich met misschien wel nuttige dingen. Opvouwbare regenjassen bijvoorbeeld, hoewel het al lang niet meer had geregend. En opvouwbare paraplu's en een opvouwbare zonnehoed. Ze zaten allebei voor het raam en keken naar de lucht. Die was blauw en zonder Viegeltje.

Het was druk in de bekendste straten van de hoofdstad. Warre en Tine moesten bij elke stap een leeg plekje op straat vinden waar ze een voet neer konden zetten. De mensen wilden kleren kopen en luchtjes en muziek en tandpasta. Warre en Tine wisten niet goed waar ze heen konden om informatie te kopen. Informatie lag niet zomaar in een etalage.

Voor een gevel van glas stonden ze stil. Andere mensen botsten tegen hen op en namen dan maar een bocht om hen heen. Achter al dat glas stond een grote plant op de vloer, een stukje oerwoud. En naast die plant zaten vrouwen achter computers.

Informatie stond er op een bord boven die vrouwen.

'Kijk daar,' zei Warre, 'daar staat Informatie, dit is zo'n bureau waar je van alles kunt vragen.'

Ze liepen naar binnen. De vloer glom. De vrouwen glimlachten.

'Wat kan ik voor u doen?' vroeg een van hen. Haar neus glom ook al zo.

Warre en Tine wilden iets zeggen over Viegeltje, maar ze wilden het toch niet echt zeggen en ze wisten niet goed hoe je iets moest zeggen zonder het echt te zeggen.

'Eh... we zijn op zoek,' begon Tine. 'Het heeft te maken met wegvliegen zonder dag te zeggen.'

De vrouw keek hen even aan. Toen zei ze: 'Als het om vliegen gaat, hebben we een aantal reizen in de aanbieding.'

'Maar het gaat erom dat we niet weten in welke richting...'

'Ik geef u folders van al onze reizen,' besliste de vrouw. Ze pakte een stapeltje folders en legde dat voor Tine neer.

'U kunt overal naartoe. Naar Afrika, naar Zuid-Amerika, naar Australië. En overal is strand waar u op kunt liggen. U krijgt bij aankoop van een reis een badhanddoek gratis. En twee heel handige folders met alle informatie over het strand en de winkels.'

'Die informatie hoeven we eigenlijk niet,' probeerde Warre, 'het gaat niet om een vliegtuig.'

'Wat wilt u dan?' vroeg de vrouw.

'Waar het om gaat,' zei Warre, 'dat is, eh, dat gaat om, eh, dat heeft meer iets van een vogel dan van een vliegtuig. Helemaal meer. Eigenlijk.'

'Maar toch eigenlijk ook weer meer iets van een mens dan van een vogel,' zei Tine.

'Ik vrees dat ik u niet kan helpen,' zei de vrouw nog even zo beleefd mogelijk. Toen ging ze haar nagels natellen.

Warre en Tine liepen naar buiten. 'We waren te onduidelijk,' zei Warre.

'Ik dacht dat ik het kon zeggen zonder het echt te zeggen,' zei Tine, 'maar zoals ik het zeg, zegt het die mensen niks.'

'Ze kunnen ons nooit helpen zoeken als ze niet weten wat ze zoeken moeten. We kunnen maar beter naar huis gaan, Tine, en hopen dat Viegeltje nog eens langskomt.

Zo gaat het niet. Je moet weten in welke richting je kan gaan zoeken. En als ze hier was geweest en iemand had haar gezien, dan zou ze nu wel in de krant staan, want ze zetten alle bijzonderheden in de krant.

Als iemand vreemde sporen heeft ontdekt

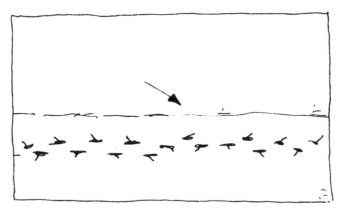

of als iemand een onduidelijk vliegend voorwerp heeft gefotografeerd

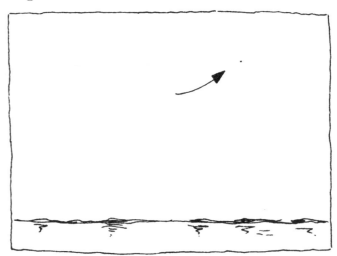

of als iemand denkt dat hij een monster heeft gezien.'

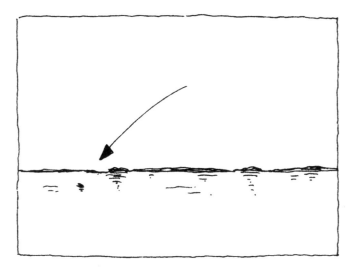

'Hoe kun je nu ophouden als je nog niet eens echt begonnen bent,' protesteerde Tine, 'we zijn nog maar net in de hoofdstad.'

'We waren al een beetje echt begonnen,' zei Warre. 'Maar goed. Laten we nog wat echter beginnen.'

En ze schuifelden verder, tussen de mensen door die kleren wilden kopen en luchtjes en muziek en tandpasta en de krant van die dag.

Ze gingen door met proberen.

Die ochtend was Loetje naar het park gegaan. Ze had een heleboel takken bij elkaar gezocht. Die sleepte ze naar haar kamertje. Ze haalde de lakens van haar bed en zette alle planten van alle vensterbanken in huis om de takken heen op de grond. Ze waren een beetje verdroogd, die planten.

'Ik heb een nest gemaakt,' zei ze. 'Ik wil ook een vogel worden, dan hoef ik niet meer naar school.'

Viegeltje moest in het nest gaan zitten. Loetje ging er zelf ook in zitten. Het zat hard en het prikte. Ze stapte er weer uit, want ze was iets vergeten. Eieren. Er waren er nog een paar in de koelkast. Ze legde de eieren zo voorzichtig mogelijk in het nest. Maar toen ze zelf weer zo voorzichtig mogelijk wilde gaan zitten, viel ze met haar buik boven op de eieren. Er zat een snotterig, glibberig mengsel van eiwit en dooier aan haar kleren. Wegvegen helpt niet.

Opeens hoorde ze gestommel op de trap. Het was haar lange vader met zijn lange voeten in zijn zware schoenen. Hij kwam er weer aan.

Ze greep Viegeltje beet en duwde haar hardhandig onder het bed.

'En weer daar blijven,' zei ze streng.

'Wat een troep,' zei haar vader zodra hij binnen stond.

'Dat is een nest,' zei Loetje.

'Zul je 't wel opruimen als je klaar bent met spelen?'

'Ik ben nog lang niet klaar.'

'Je weet dat ik nu weg moet,' zei haar vader. 'De oppas komt pas om zeven uur. Dus je bent een paar uurtjes alleen. Krijg ik een zoen?'

Loetje gaf hem een zoen op een prikkerige plek. Ze kreeg er drie terug. Haar vader tilde haar op om beter bij haar gezicht te kunnen.

'Ik broed nog niet zo goed,' zei Loetje.

'Gatverdegatver!' riep haar vader, 'wat is dat voor smerigheid?'

'Van een ei dat ik had gelegd,' zei Loetje. 'Ik had het in het nest gelegd.'

'Stik toch! Stik toch! Dit is mijn beste pak. Nu moet ik het weer schoonmaken. Altijd dat gedoe met jou.'

'Iep,' zei Loetje.

Haar vader keek erg beslommerd. Hij probeerde weer gewoon te kijken, maar dat lukte niet.

'Zeg eens dag tegen papa.'

'Iep,' zei Loetje.

'Zeg eens dag. Ik ben wel een week weg, hoor.'

'Iep.'

'Wil je even gewoon dag zeggen?'

'Iep.'

'Dan niet.'

Haar vader liep weer de gang op met zijn zware schoenen. Loetje hoorde hem onverstaanbare woorden sis-
sen.

Ze ging weer op haar nest zitten. Ergens liep een
kraan.

Even later werd de voordeur dichtgetrokken.

'Dag!' riep ze door het dichte dakraam.

Er zat een duif daar. Misschien kon die het horen.

Vogels zitten niet op een kamertje, die horen buiten.
Loetje had een briefje neergelegd voor de oppas.

Het hoeft niet, want ik
ben bij iemand anders.
Ik bel wel als ik
terugkom. loetje

Ze liep de deur uit en nam Viegeltje mee. De huissleutel hing aan een touw om haar hals. Onder haar armen hield ze een deken vast, die almaar weg wilde glijden. Viegeltje had schoenen aan die Loetje te klein waren. Ze waren Viegeltje te groot.

'We gaan naar een echte boom,' zei Loetje. 'We zijn echte vogels. Maar we moeten er eerst als mensen naartoe. Anders vallen we te veel op.'

En zo liepen ze over straat, als echte mensen. Niemand zag de vleugels onder Viegeltjes flapperjas. En Viegeltje bleef met haar voeten zo dicht mogelijk bij de grond, anders vielen haar schoenen uit.

Ze gingen naar het park. Tussen veel bomen die er als boom heel gewoon uitzagen, stond er een die bijzonder was. Het was een oude, brede boom. Hij had takken als stevige armen die goed kunnen omhelzen. En waar de takken en de stam samenkwamen had hij grote oksels, groot genoeg om in te zitten, als in een veilig holletje.

'Ga maar in de boom,' fluisterde Loetje.

'Iep piepie iep!'

Viegeltje vloog de boom in en bleef zitten in de hoogste oksel.

Loetje bleef liever wat lager. Ze probeerde zo goed mogelijk vogel te zijn, maar ze zag er niet echt uit als een vogel. Meer als een meisje dat bijna naar beneden viel.

Ze maakte een warm nest met haar deken en kroop erin weg.

Ze viel al snel in slaap. Het was nog lang niet donker. Thuis zou ze almaar zeggen dat ze nog helemaal niet moe was, helemaal niet, hoe kwamen ze erbij.

En nu viel ze zomaar in slaap.

Ze droomde over haar vader.

En ze droomde over een ei dat ze moest uitbroeden. Ze moest almaar blijven zitten, maar ze wilde weg, leuke dingen doen. Zitten op een ei vond ze helemaal niet leuk.

Ze keek eens goed naar het ei. Het was een plastic ei dat je open kon maken als een doosje, dan kwam er een verrassing uit.

Daar hoefde je niet op te gaan zitten. Dat moest je gewoon openmaken. In het ei zat haar vader. Hij was de verrassing. Hij was piepklein.

'Ik heb het koud,' zei hij.

Ze legde een deken over hem heen. Maar hij verdween helemaal in de deken. Ze kon hem niet terugvinden.

'Papa,' riep ze, 'papa. Ik heb nog niet dag gezegd!'

18

Warre en Tine hadden de hele middag langs allerlei bureaus gesjouwd. Ze hadden heel veel informatie gekregen. Ze wisten hoe laat de bussen reden. Ze wisten wie er speelde in het theater. Ze wisten hoeveel het geld waard was. Ze wisten wanneer er vliegtuigen vertrokken naar Afrika. Ze wisten wat voor weer het zou worden. Ze wisten welke oorlogen maar niet wilden ophouden. Ze wisten wanneer de stad was begonnen met stad te zijn. Ze wisten welke bekende mensen bijna jarig waren. Ze wisten waar die ongeveer woonden. Ze wisten nog veel meer. Maar ze wisten nog steeds niet waar Viegeltje naartoe was.

Het werd avond. Te laat om nog naar huis te gaan. Daarom besloten ze een goedkoop hotel te zoeken.

Op goed geluk liepen ze door de straten. Het waren rustige straten. Soms hing er een bord waar *Hotel* op stond. Daar gingen ze dan naar binnen.

En ze vroegen: 'Heeft u hier nog plaats?'

Maar overal zeiden ze nee. Alle kamers waren bezet door mensen die al eerder waren gekomen.

'Het kan toch niet dat er geen plaats is?' zei Tine na de tiende poging. 'Zag je die heerlijke banken in de hal? Daar is toch plaats?'

De elfde keer vroegen ze of ze in de hal mochten blijven. Maar ze kregen te horen dat daar geen beginnen aan was.

'Er is heus nog wel een leeg bed,' mopperde Tine, 'of gewoon een plekje waar we kunnen liggen.'

Ze wist wel dat zo denken niet hielp.

Ze konden er niet aan beginnen, in die hotels.

Konden ze maar ergens informatie vragen.

Of er nog een leeg bed was.

Dat hadden ze niet gevraagd, in die bureaus. En nu waren al die bureaus dicht.

Het begon donker te worden.

'We moeten maar buiten slapen,' zei Warre, 'er zit niks anders op. De nacht zou warm blijven, dus het kan wel.'

Ze zochten een plek om te slapen. Kenden ze maar iemand in de hoofdstad. Dan konden ze aanbellen en zeggen: 'Hier zijn we dan.' Maar ze kenden niemand.

Sommige huizen hadden een voortuin. Er waren ook bloembakken zo groot als een bed. Maar iedereen kon je zien liggen als je daarin ging slapen. Dan lag je daar als een veel te grote vondeling die niemand mee naar huis wilde nemen.

Warre bedacht om naar het park te gaan. Daar zouden ze wel een rustig plekje kunnen vinden.

'O Warre,' zei Tine, 'moet ik daar in het gras slapen? Dit is zo'n wijde slaapkamer.'

Maar het was er rustig. Tussen veel bomen die er als boom heel gewoon uitzagen, stond er een die bijzonder was. Het was een oude, brede boom. Hij had takken als stevige armen die goed kunnen omhelzen. En waar de takken en de stam samenkwamen had hij grote oksels. Maar dat zagen ze niet zo goed meer in het donker.

Tine haalde de opvouwbare regenjassen uit haar tas en spreidde die uit over het gras onder die brede, veilige boom.

Ze kropen tegen elkaar aan en gaven elkaar een nacht-zoen.

'Ik word opeens zo kalm,' fluisterde Tine, 'zo kalm... het is hier goed hoor. Goedkope hotels hebben soms vreselijke bedden. Daar vind je jezelf niet meer in terug.

Hier is het lekker luchtig ook.'

Ze zuchtte en zakte weg, in een diepe slaap.

En Warre bleef maar wakker.

Hij hoorde geluiden die hij niet thuis kon brengen. Hij dacht aan vogels en daar werd hij onrustig van. Hij wist te veel van vogels en hoe meer hij daarover nadacht, hoe wakkerder hij werd. Ergens had hij gelezen dat je in slaap kon vallen als je telkens een rustige zin herhaalde. Als je alleen maar aan die ene zin dacht, konden er geen andere gedachten meer bij.

Hij wist wel een zin waar niets aan fladderde of vloog: De slome slak slaapt in de slappe sla.

En die zin herhaalde hij: De slome slak slaapt in de slappe sla. De slome slak slaapt in de slappe sla. De slome slak slaapt in de slappe sla. De slome slak slaapt in de slappe sla. De slome slak slaapt in de slappe sla. De slome. Slak. Slaaaaapt. Idde. Slappe. Slaaaaa.

De. Slowe. Slaw. Slawwidde. Slawwe. Slaaaaaaaa.

De. Slldeslll...Assluh.. asssasss...

Sssssss...

......

(Het hielp.)

19

De meeste mensen sliepen nog toen de nieuwe dag begon. Sommigen, die nog steeds met de vorige dag bezig waren, kwamen uit cafés en zwabberden naar huis. Anderen, die al met de volgende dag bezig waren, moesten heel vroeg naar hun werk. Er waren er ook die er niet aan dachten welke dag het was. Die zochten in vuilnisbakken of er iets bruikbaars was weggegooid.

Niet ver van zo'n vuilnisbak, in het park, sliep Loetje. Ze droomde over haar vader. Die was heel klein en zat ergens in haar deken. 'Ik stik! Ik stik!' riep hij. Loetje woelde wild met de deken om hem te bevrijden. De deken gleed van haar af en viel naar beneden.

Onder de boom lag Warre te slapen, naast Tine. Hij droomde dat er van alles door de lucht vloog. Bedden, bussen, kranten, een slome slak en veel slappe sla. Hoe kon dat allemaal zo mooi blijven vliegen, dacht hij. Zoiets hoorde toch naar beneden te vallen?

En toen viel het opeens allemaal naar beneden, boven op hem.

'Aauarrrw!' riep hij en hij schoot wakker.

Al wat op hem lag was een deken. Daar vond hij eerst niets bijzonders aan. Maar toen wist hij weer waar hij was. En daar waren geen dekens. Daar was gras en ochtenddauw en grondkou.

Tine werd ook wakker.

'D'r is een deken op me gevallen,' mompelde Warre.

'Ik heb spierpijn,' mompelde Tine terug. 'In al mijn spieren. Ik weet niet hoeveel ik er heb, maar ze doen allemaal pijn.'

Loetje was ook wakker geworden. Ze hoorde stemmen onder de boom. Ze durfde niet goed te kijken.

'Wie is daar?' riep Warre naar boven.

Die stem klonk niet gevaarlijk. Loetje durfde te kijken.

'Wie bent u?' vroeg ze voorzichtig.

'Wij zijn twee mensen.'

'O. Ik ben één mens.'

'Wat doe je daar?' vroeg Warre.

'Ik wil vogel worden. Maar mijn nest is te hard. En u? Wat doet u daar?'

'Wij zijn op zoek,' zei Warre, 'naar een soort iemand.'

'Wat voor soort iemand dan?'

'Dat is eigenlijk geheim,' zei Tine. 'Maar niemand kan ons helpen met zoeken als het geheim blijft.'

'Ik kan heel goed geheimen bewaren,' zei Loetje, 'ik heb er wel tien.'

Ze slingerde zich uit de boom.

'Als je belooft het aan niemand te vertellen, dan zal ik er iets van zeggen. Maar niemand mag het weten, hoor. Jij wilt vogel worden, maar wij praten over iemand met echte vleugels. En we hebben haar geen dag kunnen zeggen.'

'O, maar daar weet ik alles van,' zei Loetje, 'ik héb iemand met vleugels. Ze slaapt boven in deze boom. En ze is ook helemaal geheim. Ze is mijn geheim-nummertien. Maar wel het grootste.'

Warre en Tine schoten overeind.

'Dat moet ik zien,' zei Warre.

Hij klom naar boven en verdween tussen de bladeren.

'Warre, val niet!' riep Tine om hem te helpen.

Warre viel niet. Na een poosje kwamen er twee schoenen naar beneden. Schoenen die Loetje te klein waren. Schoenen die voor Viegeltje te groot waren geweest. En na die schoenen kwam Warre weer.

'Meer is daar niet,' zei hij.

Loetje begon te huilen. Ze had zoveel verdriet dat ze even niet gewoon kon praten. Het was net of ze verdriet van andere keren had opgespaard. En nu liep ze over. Tine vroeg haar van alles, maar ze zei alleen maar *sniffre-bluh* of *hafjhafnuzze* of *bwuuuuuh*.

Daarom wachtten Warre en Tine maar tot ze een beetje was bedaard.

Toen vroegen ze haar uit over vleugels in plaats van armen, over tien tenen en een blauw jasje, over Piepie en Iep. En of ze, ja dat ze, Viegeltje heette.

Tine dook in haar tas en haalde twee rode schoentjes tevoorschijn.

'Kijk,' zei ze. 'Ze hoorde eigenlijk bij ons. Wij hadden haar onder een struik gevonden.'

'Maar ze hoorde ook bij mij,' zei Loetje, 'ik had haar op mijn bed gevonden.'

Twee paar kleine schoenen stonden op het gras.

'Misschien is ze nog in de buurt,' zei Warre.

'Ik heb haar niet eens dag gezegd,' zei Loetje.

'Wij ook niet. Daarom zoeken we haar. Omdat het helpt als je dag kunt zeggen.'

'Mag ik meezoeken?' vroeg Loetje.

'Van ons wel,' zei Warre, 'alleen weten we niet waar we moeten zoeken. Dat is het probleem. En zo is er geen beginnen aan.'

20

Viegeltje was niet ver weg. Ze zat een eindje verderop in een dakgoot. Daar was water en er waren smakelijke kruipbeestjes. Er lag ook wat oud brood, dat iemand er had neergegooid.

Viegeltje hing met haar buik in het water en slurpte haar ontbijt op. Haar gezicht en haar flapperjas werden nat.

Toen ging ze lekker zitten, met haar rug tegen de dakpannen. Haar beentjes bungelden naar beneden.

Ze zag de zon achter de huizen van de hoofdstad op-
komen. Die moest haar droog maken. Beneden was er
alleen schaduw.

De zon kroop hoger en veel mensen kropen hun bed
uit want ze moesten weer naar hun kantoren. Er moest
weer veel geregeld worden deze dag.

Steeds meer mensen liepen en reden daar beneden
door de straat, ver onder Viegeltjes bungelende beentjes.

Sommigen bleven staan en keken naar boven. Steeds
meer mensen stonden stil en keken naar boven. Zo gaat
dat. Als iemand heel duidelijk naar boven kijkt, dan
denkt iemand anders: daar is zeker iets te zien. Die gaat
ook naar boven kijken. En dan nog iemand en nog iemand en nog. Voor je het weet kijkt de hele wereld naar
boven en hoopt dat het niet voor niets is.

Er waren mensen die zeker wisten dat ze twee benen
zagen die over de dakgoot bungelden. Ze wisten zeker
dat daar iemand zat die naar beneden wilde springen,
om niet meer te hoeven voelen dat hij leefde (wat iets
heel anders is dan de mensen die naar beneden springen
omdat ze juist wél willen voelen dat ze leven).

Er waren ook mensen bij die zeiden dat het niet waar was, van die benen. Volgens hen waren het twee slappe lappen rommelspul die door de wind gewiegd werden. En verder niets bijzonders. Zo gaat dat. Je kunt hetzelfde zien en toch iets heel verschillends.

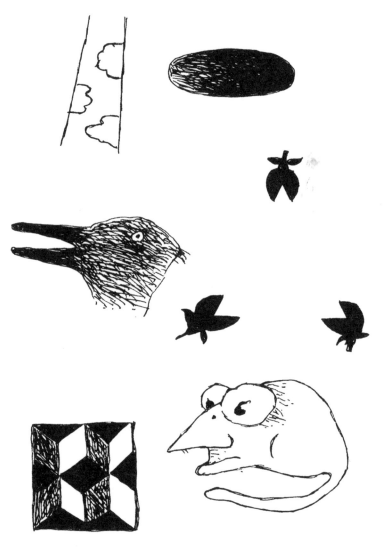

'Maar daar zit een kind!' gilde iemand. 'Doe iets! Dat kind gaat vallen! Dat kind moet gered worden!'

Iedereen werd opeens zenuwachtig. En iedereen hoopte dat iemand anders nu iets ging doen. Het kantoor waar dat kind bovenop zat, was nog niet open. Dat zou pas drie minuten later opengaan en elke minuut telde. Iemand waarschuwde de reddingsdienst. Een rood-witte auto kwam met loeiende sirenes aangereden, maar net voor de bocht hielden de sirenes op, want een kind in de dakgoot kan schrikken en dat mag niet. Dan valt hij misschien wel naar beneden.

Een man stapte uit en riep door een luidspreker naar boven: 'Blijf zitten! Blijf zitten!'

Viegeltje begon te merken dat het onrustig werd om haar heen. Ze hoorde iemand: 'Blijf zitten! Blijf zitten!' roepen, en dat was ze eigenlijk al van plan. Ze wilde even opdrogen in de zon. Maar dan mocht het niet te onrustig worden.

Iemand anders maakte de buitendeur van het kantoor open. Alle nieuwsgierigen werden een zijstraat in gedreven. Niemand mocht onder de dakgoot daar ver beneden blijven toekijken. Alleen de mensen van de reddings-dienst. En alleen een redder, de beste van de stad, mocht naar binnen. Hij nam de lift naar de bovenste verdieping en stak even later zijn hoofd uit een dakraam, een eindje van Viegeltje vandaan.

'Blijf kalm,' zei hij zenuwachtig, 'ik kom je redden. Het leven is mooi.'

'Pindekies,' zei Viegeltje.

Het hoofd van de redder verdween weer naar binnen. Hij bereidde zich voor op het redden. Hij pakte alles bij elkaar wat hij nodig had: een touw in een vriendelijke kleur, een stok met een handje eraan en nog iets ondui-delijks waarvan hij wist dat het hielp.

Maar voor Viegeltje werd het zo te onrustig. Ze kon niet eens lekker opdrogen.

Ze trok haar beentjes in, zette zich af en vloog met een sierlijke boog weg, boven de daken, richting zuidzuidwest.

De redder nam een hap stevige lucht en kroop in de dakgoot.

Toen hij opkeek, schrok hij vreselijk. Zijn benen begonnen vervaarlijk te bibberen.

'Ik ben te laat!' riep hij. 'Nog nooit ben ik te laat geweest. Nog nooit!'

Hij was helemaal in de war. Hij stond te wankelen in de dakgoot. En hij zou zelf naar beneden zijn gevallen, als er niet net op tijd twee andere redders waren geweest die de redder die redden wilde kwamen redden.

21

Warre, Tine en Loetje liepen het park uit. Loetje had gezegd dat ze wel bij haar thuis konden wassen en ontbijten. Ze had de sleutel.

De vloer van de gang kraakte even. De ochtendzon scheen op het aanrecht.

In de kamer zat de oppas. Ze studeerde niet. Ze keek naar de Hoofdstad Ochtendtelevisie. Tine en Warre gaven haar een hand.

'Waarom zit je hier?' vroeg Loetje. 'Ik pas op,' zei de oppas.

'Maar ik was er toch niet?'

'Ik moest oppassen, dus dan doe ik dat. Ik pas op de deuren en de borden en de tafels.'

'Dat hoeft niet hoor,' zei Loetje. 'Je mag best weer naar huis gaan. Ik ga met deze mensen mee en ik zal terug zijn voordat mijn vader terug is.'

'Nou goed,' zei de oppas, 'als ik maar wel voor de hele week betaald word. En nog een prettige dag verder.'

Ze stond op. Iemand op de televisie deed zwaaioefeningen voor met zijn armen.

Warre en Tine wensten haar ook nog een prettige dag verder.

Toen gingen ze zich wassen. Loetje waste zich een klein beetje. Ze vond zichzelf nog niet zo vuil. Ze spetterde alleen wat met water zoals ze dacht dat vogels dat deden.

Daarna ontbeten ze samen. De eieren waren op, maar er was nog heel veel pindakaas.

Tine zette koffie. Onder de koffie konden ze het beste nadenken over hoe het verder moest. Misschien toch maar weer naar huis en daar doorleven.

Terwijl de koffie pruttelde liet Loetje een paar dingen zien die ze mooi vond en die ze zou krijgen als haar vader doodging.

Dat had hij alvast gezegd, hoewel hij nog lang niet dood wilde.

En ze liet foto's van vroeger zien, uit een tijd waar ze zelf niets meer van wist.

Ze dronken koffie. Loetje nam water. Ze keken naar de televisie omdat ze even niets wisten te zeggen.

En daar kwam opeens de dakgoot in beeld. De dakgoot zonder beentjes. Tine en Warre letten er niet op. Voor hen was het een gewone dakgoot.

'Hier is het gebeurd,' zei een verslaggever.

Ze lieten de dakgoot van nog dichterbij zien. Je kon nergens aan merken dat er wat gebeurd was.

Nu kwamen er een heleboel mensen tegelijk in beeld. Ze praatten door elkaar.

'Ik zag het 't eerst!' riep iemand.

'Niet, ik zag het al meteen,' riep iemand anders.

Ze praatten over kinderbenen in de dakgoot.

Dat hoorden Tine en Warre, daar bij de koffie. Ze hielden meteen op met drinken.

Een stoep werd van heel dichtbij gefilmd. Je kon zien dat er een vertrapt boodschappenbriefje lag.

'Hier zou het kind zijn neergekomen,' zei de verslaggever, 'maar het viel niet. Ooggetuigen zeggen dat het is meegenomen door een roofvogel. Ze hebben iets blauws zien wegvliegen.'

'Dat moet Viegeltje zijn geweest!' riep Tine, 'Viegeltje is nog in de stad!'

Nu kwam de gevel van een woonhuis in beeld. Je kon zien dat het nummer 20 was. Er groeide veel groens achter het raam. En buiten, voor het raam, stond een ver-slaggever.

'De redder zit in verwarring thuis,' zei hij, 'want er viel niets meer te redden. Helaas mogen wij niet naar binnen, en dat terwijl de hele stad wil weten wat de redder heeft gezien. Het moet vreselijk zijn geweest. Hij moet een verschrikkelijke roofvogel hebben gezien die onver-wachts van achter het dak opdook. Net toen hij het kind wilde redden, moet het arme schepsel uit zijn handen zijn getrokken en meegenomen, de lucht in. Er is grote kans dat het kind ergens buiten de stad is opgegeten. We gaan meteen op zoek om u alles over dit opgegeten kind te kunnen berichten. Tot zover deze uitzending.'

De camera nam nog één keer de dichte voordeur en de stoep en de straat.

'Ik weet wel waar dat is,' zei Loetje. 'Daar hebben ze een paar zwarte tegels. En daar mag je niet op komen. Dat is gevaarlijk.'

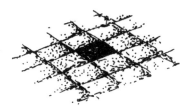

22

Loetje kende de straat waar de redder woonde heel goed. Ze moest door die straat als ze naar school ging. Er waren drie zwarte stoeptegels. Er was ook een witte, maar die telde niet mee. De rest was grijs.

De zwarte, daar mocht ze van zichzelf niet op stappen, want dan ging er een geheim luik open en dan viel ze in een kelder met spoken en geesten.

Dat dacht ze.

Daarom hield ze niet van die straat. Maar hij lag daar nu eenmaal, op de weg naar school.

Tine en Warre wilden meteen naar de redder toe, om hem hoogstpersoonlijk te spreken. Ze wilden zeggen dat ze dachten dat het geen roofvogel was geweest en geen gewoon kind, maar iemand met vleugels en tien tenen, die Viegeltje heette. Ze wilden vragen of de redder een blauw jasje had gezien, dat om dat kind hing alsof het iets verstopte.

Een van de zwarte tegels lag precies voor het huis van de redder. Vlak naast die tegel stond een fotograaf. Hij maakte foto's van het huis. Hij probeerde met een telelens door het raam naar binnen te fotograferen, maar het hele raam was aan de binnenkant begroeid met planten. Het enige wat op zijn foto's kwam waren mooie uitvergrote donkerrode bloemetjes. En daar kwam hij niet voor, voor donkerrode bloemetjes.

Warre wachtte tot hij weggelopen was, de hoek om. Toen belde hij aan. Iemand gluurde naar hen door de brievenbus.

'Wat wilt u?' vroeg een oude stem.

'We willen iets belangrijks zeggen tegen de redder,' zei Warre.

'Hij is erg van streek.'

'Daar kunnen wij misschien wat aan doen,' zei Tine.

De deur ging op een kiertje open. Een oude man keek hen aan.

'U bent toch niet van de krant of de tv?'

'Nee hoor,' zei Tine, 'we zijn van onszelf.'

Ze mochten naar binnen. De gang rook naar bitterkoekjes.

Loetje pakte Tines hand. Ze was bang voor de kelder.

In de achterkamer, op de bank, lag de redder. Het was

een pipse redder. Hij keek de drie bezoekers wantrouwend aan.

De gordijnen, met grote rozen erop, waren dicht.

Zijn oude moeder kwam binnen.

'Wilt u koffie?' vroeg ze.

'Graag,' zei Tine, 'zonder melk en met twee suiker.'

'Ja, graag,' zei Warre, 'met melk en zonder suiker.'

Loetje zou limonade krijgen. Ze hadden alleen rode.

'Hoe gaat het met u?' vroeg Warre aan de redder.

'Slecht,' zei de redder. 'Altijd heb ik goed gered en nu niet. En nu is het net of al dat andere ook niet echt heeft geholpen. Heb ik u niet ook een keer gered?'

'Nee. Mij niet, maar wel een boel anderen, hè?' zei Warre zo warm mogelijk. De redder voelde zich daardoor al een beetje beter. Hij begon meteen te vertellen over wie en wat hij allemaal gered had in zijn leven, bijvoorbeeld:

Een berentemmer die niet zo goed was

een hondje dat niet kon zwemmen

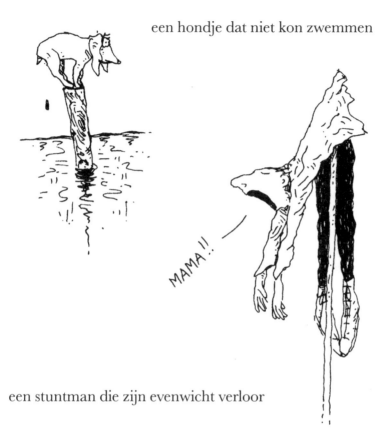

MAMA!!

een stuntman die zijn evenwicht verloor

en zes mensen in een boot van niks.

Hij werd van elk verhaal een tikje vrolijker.

'Dat heb ik allemaal gedaan,' zei hij, 'maar nu...'

Nu moest hij weer zuchten.

'Ik begrijp er niets van. Er zat een klein meisje in de dakgoot en ik wou haar redden, maar opeens was ze er niet meer. Toch is er geen enkel klein meisje naar beneden gevallen. Toen ik opkeek heb ik iets weg zien vliegen. Het leek op een roofvogel. Ik ben zo bang dat er een roofvogel is gekomen, die het meisje heeft meegenomen naar het Takkenbos en het daar heeft opgegeten. Het was een klein smakelijk meisje, met een mooi blauw jasje aan.'

'Een blauw jasje?' zei Tine, 'dan was het echt waar Viegeltje!'

'Och, bent u familie,' zei de redder.

Toen kwam zijn oude moeder weer binnen.

'Astublieft,' zei ze, 'één limonade, een koffie zonder melk en met twee suiker en, o, ik heb me vergist, deze is met melk en zonder koffie.'

Ze slofte weer weg.

Ze was ook een beetje van streek.

Warre zei dat hij de redder wat wilde vertellen. Ze hadden het nog aan niemand anders verteld, behalve aan Loetje.

Maar dan moest de redder het wel geloven en niet verder vertellen.

En hij vertelde hoe hij Viegeltje onder een struik had gevonden en hoe ze bij hen had gewoond, tot ze op een morgen weg was gevlogen zonder dag te zeggen. Daarna vertelde Loetje dat ze Viegeltje op haar bed had gevonden. En dat Viegeltje wéér was weggevlogen zonder dag te zeggen.

De redder kon het niet geloven. Hij wilde het wel. Hij probeerde het te geloven. Hij zei: 'Als dit waar is, is het een wonder. Dan is het een prachtige vergissing der natuur. Ik wil zien of het waar is. Als het waar is, dan zal ik het echt geloven. En dan zal ik weer gerust zijn. Dan hoef ik niet bang te zijn dat er ergens een opgegeten kind ligt dat ik had moeten redden.'

'Wij willen haar ook nog een keer zien,' zei Tine. 'Om *goeie reis* te zeggen en *wees voorzichtig* en *pas goed op jezelf.* En daarom willen we graag weten welke kant ze op vloog.'

'De vogel die ik zag,' zei de redder, 'vloog in de richting van het Takkenbos. En als jullie erheen gaan, mag ik dan mee? Ik wil zien of het waar is dat de wonderen de wereld nog niet uit zijn!'

Hij stond op van de bank en deed de gordijnen open. Ze zagen de fotograaf in een boom hangen. Zijn rechtervoet zat klem.

'Die moet ik even redden,' zei de redder.

Hij liep de achtertuin in. Eerst maakte hij een foto van de fotograaf. Toen redde hij hem uit de boom en zette hem aan de buitenkant van de tuinmuur.

'Zo,' zei hij toen dat klaar was. Hij riep zijn oude vader en moeder en zei dat hij een poosje wegging om te zien of er nog wonderen waren in de wereld.

'Best jongen,' zeiden zijn ouders. Ze zagen wel dat hij al niet meer zo pips was.

'Maar pas goed op jezelf. En neem genoeg schone sokken mee. En we zullen extra veel boterhammen voor je smeren, extra lekker dik belegd.'

Ze maakten een stapel boterhammen klaar en flessen vol rode limonade. De redder nam voor alle vier warme slaapzakken en kussens mee. Hij droeg alles. Hij had zo'n dikke bult op zijn rug dat hij er een beetje krom van ging staan.

'Wat is hij sterk, hè,' zeiden zijn ouders trots.

Ze gaven hem drie dikke zoenen. Buiten zwaaiden ze, tot ze hun zoon niet meer zagen. Loetje was zo druk be-zig met terugzwaaien, dat ze per ongeluk op een van de zwarte tegels stapte. Ze viel niet in een enge kelder. Ze liep gewoon door zonder het te merken. Wonderlijk.

23

Ze namen de bus tot de rand van de stad en liepen toen verder in de richting van het Takkenbos.

De stad wist eigenlijk zelf niet goed waar ze ophield. Ze had een rommelige rafelrand.

Onderweg tuurde Warre vaak met zijn verrekijker naar de lucht. Daar waren gewone bijzondere vogels en schapenwolkjes en vliegtuigen naar Afrika. Soms keken ze onder een struik of in de bomen.

Wat was er veel lucht. Wat waren er oneindig veel bomen en struiken. En wat liep het zuidzuidwesten eindeloos ver door. Het was al avond toen ze aankwamen in het bos.

De bomen hadden de warmte van de dag niet tegen kunnen houden. De redder legde zijn bagage af. Zijn rug was kleddernat van het zweet. Ze gingen zitten in een kuil die geschikt was voor vier, pakten hun boterhammen en tilden de hoekjes op om te kijken wat ertussen zat. Extra dikke chocopasta en extra veel plakjes schouderham.

Ze aten de helft van alle boterhammen op. Loetje vertelde wat ze wist over zandgrond. Warre vertelde wat hij wist over futen en kluten. De redder vertelde over het mooie gevoel na het redden, en hoe lang dat gevoel in hem bleef zitten voor het weer verdween. En Tine zong een liedje dat haar moeder haar had geleerd. Het was een oud liedje, sommige woorden waren al kromgetrokken. Het ging zo:

Beps, de Beps van Bob en Babs,
had wat sleums en had wat slaps,
en haar prachtjas had wat kraps.
Oei, daar knapten alle knopen,
jas woei open bij het lopen.
Beps, de Beps van Bob en Babs
heeft gesnikt en niet gesnopen.

Zo bleven ze bij elkaar zitten tot hun ogen te zwaar werden.

Ze spraken af dat ze in de kuil zouden slapen. Eerst zou Warre wakker blijven om op te letten, dan Tine en dan de redder. Alleen Loetje mocht de hele nacht doorslapen.

Ze maakten bedden in de kuil en zeiden *welterusten* en *slaap maar lekker* en *droom maar mooi*. Warre bleef luisteren naar het bos. Het ritselde en schuifelde en trilde een beetje. De maan leek op een ei. De bomen kregen vreemde gezichten.

Nog voor hij Tine had gewekt, viel Warre in slaap. In zijn droom was hij nog steeds in het bos. Telkens dacht hij: daar komt Viegeltje. Maar dan was het wel bijna Viegeltje, of ongeveer Viegeltje, of hier en daar een stukje Viegeltje, maar nooit helemaal.

DE FILM

Het huisje van Warre en Tine.

Soms kijken er mensen in de kinderwagen.

Varre en Tine met Viegeltje.

Een hapje dat Viegeltje lust.

Tine en Viegeltje.

Loetje

Viegeltje zit boven op een kerktoren.
In het boek is dat een kantoor midden in de stad.

Viegeltje is in de kamer van Loetje terechtgekomen.

De redder kruipt uit het dakraam.

Warre, Tine en Loetje zijn op zoek naar Viegeltje.

De redder vertelt zijn ouders dat hij
Viegeltje gaat zoeken.

Warre, Tine, Loetje en de redder bij een put.

Loetje vindt het flapperjasje van Viegeltje niet in een beek, maar in de put.

Tine, Warre en de redder halen Loetje uit de put.

ACHTER DE SCHERMEN VAN

DE FILM

De vleugels van Viegeltje staan klaar.

Kenadie Jourdin (Viegeltje) tijdens de repetities.

Joke Tjalsma (Tine) en Huub Stapel (Warre).

Diederik Ebbinge (de redder) en cameraman
Theo Bierkens.

Loetje wordt in de put getakeld.

Madelief Vermeulen (Loetje) en Ties Dekker (Bor).

Opeens zag hij de echte Viegeltje aan komen fladderen.
Blij sprong hij op. 'Ik heb je weer gevonden!' riep hij.
Maar achter haar was nog een Viegeltje en naast haar
nog een en nog een en nog een.

'Wie is de échte?' riep Warre. 'Er hoort er maar één te
zijn en die had ík gevonden, helemaal zelf!'

Hij werd wakker. Laag zonlicht probeerde het bos in te kruipen. De vogels zongen dat het ochtend was.

Ik heb haar verloren, dacht hij. Helemaal zelf.

Hij kroop de kuil in. Aan wie er was had je meer dan aan wie er niet was. Hij kroop tegen Tine aan en deed zijn ogen dicht.

24

De vorige ochtend, toen de redder voor de tweede keer zijn hoofd uit het dakraam had gestoken, was Viegeltje weggevlogen. Het was te onrustig geworden om haar heen. Ze vloog over de hoofdstad naar het zuidzuidwesten en belandde in het Takkenbos.

En daar sliep ze vijfenvijftig bomen van de anderen vandaan. Maar dat wisten de anderen niet. En als je van elkaar niet meer weet waar je bent, dan is dichtbij weg niet zoveel anders dan ver weg weg.

Toen ze in de vroege morgen wakker werd vloog ze rondjes boven het bos. Ze vloog zelfs rondjes boven de kuil waarin Warre, Tine, Loetje en de redder lagen te slapen. Ze zag de kuil niet. Er zaten zo ontelbaar veel bladeren aan de bomen, en ergens daaronder was die kuil.

Viegeltje speelde boompje verwisselen met zichzelf.

Ze speelde spinhappen met de ogen dicht en koppeltjeduikelen in de lucht. En toen ze aan de rand van het Takkenbos was, zag ze tussen de akkers door een glinsterende streep. Het was een heldere beek, die door het landschap slingerde. Viegeltje landde middenin het water, dat meteen tussen haar tenen krulde. Ze badderde en flapperde en spetterde uren achter elkaar in de beek. Haar blauwe flapperjas zoog het water op en werd zwaar. Het knoopje sprong uit zijn lus. De jas gleed van haar vleugels af het water in en bleef hangen om een steen. Nu had de steen een jas aan.

Viegeltje lette er niet op. Ze had het te druk met eten en drinken en spelen zolang de dag duurde. Pas toen het begon te schemeren vloog ze weer weg. Ze volgde vanuit de hoogte de glimmende streep, tot ze onder zich een groot gebouw zag staan. Het gebouw had veel ramen, kleine ramen die allemaal openstonden. Viegeltje probeerde boven op het dak of de schoorsteen een prettige rugleuning was om tegenaan te hangen.

Aan één kant van het gebouw zag ze een paar mensen lopen. Aan de andere kant was het stil. Ze koos de stille kant en vloog nog wat lager, tot vlak onder de dakgoot. Door een van de ramen keek ze naar binnen. Binnen was het stil. Ze zag een kamertje met een bed en een kast en een stoel. Er was niemand. Viegeltje vloog naar het bed en ging liggen. Het bed was zacht. De avond ook. Ze keek naar buiten. De lucht werd steeds donkerder. Even schoof er een kleine verdwaalde wolk langs het gezicht van de maan.

Soms liep er iemand dichtbij over een gang, maar er was niemand die in het kamertje kwam. De hele nacht niet. Zonder dat wie dan ook in dat grote gebouw ervan wist, had Viegeltje daar weer een nest gevonden, helemaal voor zichzelf alleen. Toen een nieuwe ochtend nog maar net was begonnen, vloog ze naar buiten. De hele dag speelde ze in de beek, ze at, ze dronk, ze liet de zon op haar gezicht schijnen. En in de schemering keerde ze terug naar het kamertje om rustig te kunnen slapen.

25

Loetje werd als eerste wakker en zocht een mooie boom uit om een plas bij te doen. Er liep een torretje dat jammerlijk omkwam in de overstroming. Toen ze terugkwam waren ook de anderen wakker geworden.

'We hebben niet opgelet,' zeiden ze teleurgesteld, 'we hebben geslapen.'

Ze voelden zich stram en verkild en ze misten een lekkere warme douche en schuimspul met dennengeur.

Langzaam aten ze hun boterhammen en namen ze zuinige slokjes limonade.

De wereld zat zo ruim om hen heen. Het leek onmogelijk in zoiets groots iets kleins te vinden, hoe belangrijk dat kleine ook voor ze was.

Ze besloten alle bomen in het bos goed te bekijken, tot in de top. En ook de grond eronder en de lucht erboven. Dat was meer dan genoeg om een hele dag mee bezig te zijn.

Ze vonden van alles:

Een mislukt nest

een verdwaald hondje

een steen in een bijzondere vorm

een overwoekerde schoen

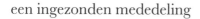

een ingezonden mededeling

en een paar zachte veertjes.

'Die zouden van Viegeltje kunnen zijn,' zei Tine hoop-vol.

Even verderop vonden ze nog een paar veertjes.

Ze trokken in gedachten een lijn. Die begon bij de eer-ste paar veertjes en liep over de daarna gevonden veer-tjes tot ergens in de eindeloze verte. Die lijn volgden ze in de richting van de eindeloze verte.

Zo verlieten ze het bos, toen het al schemerde.

Algauw kruisten ze de beek waarin Viegeltje de hele dag had gebadderd.

'Ha!' riep Tine, 'kan ik me eindelijk een beetje wassen.'

Ze trok haar schoenen en kousen uit en stapte voorzichtig op de gladde stenen.

'Ah...' zuchtte ze verlekkerd, 'ah... ah...'

Maar toen zag ze opeens, een eindje verderop, iets blauws. Even dacht ze dat daar misschien een handige handdoek lag. Maar dat blauw was zo helemaal het blauw van een jasje dat ze zelf nog had gemaakt.

'Viegeltje!' riep ze. 'Daar! Daar ligt Viegeltje!'

De anderen renden langs de oever en Tine strompelde en struikelde weer het water uit.

'Wacht op mij, wacht!'

Ze dachten dat Viegeltje in het water lag, maar ze stonden aan een steen te trekken. Een steen met een blauw jasje aan.

Zwijgend keken ze naar de steen. Tine pakte het jasje, ze bekeek het van alle kanten en drukte het tegen zich aan.

Ook Loetje had het herkend. En de redder wist meteen zeker dat het meisje in de dakgoot zo'n kleur had gedragen.

Warre zag wat Tine dacht.

'Nee dat kan niet,' zei hij, 'deze beek is veel te ondiep om in te verdrinken. Ze heeft het jasje uitgetrokken, omdat het in de weg hing.'

'Maar ze kan toch niet bij het knoopje?' zei Tine.

'Misschien is het knoopje vanzelf losgesprongen,' zei Warre, 'als iemand-met-knopen-aan-zijn-kleren veel staat te springen, dan springen de knopen soms mee. Dat kan.'

'Maar misschien moet er toch wel ergens gered worden,' zei de redder. Hij stelde voor om de beek te volgen en te kijken of ze nog iets of iemand konden vinden.

Het werd steeds donkerder, maar de maan lichtte hen een beetje bij. De maan keek bezorgd, maar zo keek ze altijd.

De redder was weer bang geworden dat hij de botten van een opgegeten kind zou vinden. Roofvogels aten vast geen blauwe jasjes. Misschien haalden ze die eerst van hun prooi af, zoals de schil van een appel.

Tine wilde graag denken aan wat Warre had gezegd. Toch kwamen er almaar andere gedachten naar binnen. Bijvoorbeeld dat iemand Viegeltje gevangen had genomen en dat die nu bezig was Viegeltje op te zetten met zaagsel onder haar vel om haar duur te verkopen aan een museum van merkwaardigheden.

Loetje dacht dat Viegeltje misschien op een zwarte steen was gestapt en in een enge kelder was gevallen en dat haar vleugels eruit werden getrokken zonder verdoving.

En Warre dacht: vogels houden niet van een jas met een knoop. Daar houden ze nu eenmaal niet van.

26

Dichtbij de beek stond een groot gebouw met een heleboel kleine ramen. Het had een hoge voordeur en boven die deur kon je lezen: Horstel Beekzicht.

'Een horstel,' zei Tine, 'wat zou dat nou zijn?'

'Ik denk dat dit een horstèl is,' zei de redder. 'En zou dat niet een soort hotel kunnen zijn? Ik nodig jullie uit om hier te eten en te slapen op mijn kosten. Want kalmte kan ons redden.'

Voor de ingang lag een enorme mat.

Welkom stond erop.

'We zijn welkom,' zei Tine, 'dat doet me goed.'

En ze stapten naar binnen.

In de hal zat een jonge vrouw achter een bureau.

'Kunnen we hier overnachten?' vroeg de redder.

'Ja natuurlijk,' zei de vrouw, 'er is hier altijd eten en er zijn hier altijd bedden. Waar bent u moe van?'

'We zijn moe van het lopen en zoeken en we hebben honger en we maken ons zorgen.'

'U maakt u zorgen?'

'Ja,' zei Tine, 'maar we kunnen het eigenlijk niet zomaar zeggen, wat het is.'

'Ah,' zei de vrouw vriendelijk, 'uw probleem is dat u het niet goed kunt zeggen?'

'We kunnen het wel zeggen,' zei Warre, 'maar het mag niet verder verteld worden, want het is iets van ons.'

'O, maar hier kunt u alles zeggen,' zei de vrouw, 'wij kijken nergens van op.'

'Nou ziet u,' begon Warre, 'dit jasje hier is van een soort meisje. Maar ze is eigenlijk een vogel, want ze heeft vleugels in plaats van armen. Mijn vrouw wil haar zo graag nog even dag kunnen zeggen. En we willen weten of iemand haar misschien gezien heeft en of alles goed met haar is.'

'Ik begrijp het,' zei de vrouw, 'loopt u maar even mee.'

Ze ging hen voor door een roze gang. Er hingen foto's van groepjes mensen. Ze hadden het prettig met elkaar, dat kon je zien.

Toen liepen ze door een gele gang. Daar hingen tekeningen.

In een blauwe gang kwam een dunne man op hen af.

'Welkom,' zei hij net als de mat. 'Kom maar binnen in de salon. Dan hebben we zo een gesprekje met elkaar.'

De vrouw wilde weer teruglopen naar haar bureau. Maar de redder moest nog iets vragen.

'Waarom heet dit geen hotel, maar een horstel? Had u letters over?'

'Dat is natuurlijk omdat dit een bijzonder hotel is,' zei de vrouw, 'een hotel om te herstellen. Alle mensen die hier zitten zijn net als u ergens heel moe van geworden. En wij helpen ze herstellen.'

'Waarvan werden ze dan zo moe?'

'O, dat kan van alles zijn,' zei de vrouw. 'Bijvoorbeeld dat ze almaar niet konden zeggen wat ze eigenlijk bedoelden. Of dat ze bang waren geworden dat alles mislukte waar ze aan zouden beginnen, en daarom begonnen ze nergens meer aan. Of dat ze niet konden ophouden aan iets te denken waar ze maar beter niet aan konden denken.'

'Zoals?'

'Nou, bijvoorbeeld, eh, dat iemand denkt dat er vliegende meisjes bestaan. Want die bestaan niet.'

27

Alles was lichtblauw in de salon: de tafels, de stoelen, de wanden, het vloerkleed, de lampen. Tien mensen zaten tussen al dat blauw te kaarten of de krant te lezen.

Warre, Tine, Loetje en de redder gingen zitten aan een van de blauwe tafels. Ze kregen soep met brood erbij. In elk bord zwom één eenzaam soepballetje. Loetje bewaarde dat voor het laatst.

Er kwam een jongen binnenlopen. Hij was bijna net zo groot als Loetje. Hij was wel smaller en zijn haar was korter. Hij had zijn pyjama aan en kwam welterusten zeggen. Hij zei het tegen alle mensen in de salon. Sommigen antwoordden: 'Slaap lekker.' Sommigen zeiden: 'Denk erom, niet aan spoken en geesten denken, hoor.' En weer anderen zeiden niets. Die dachten niet aan welterusten zeggen.

De jongen kwam ook bij Loetje staan.

'Truste,' zei hij.

Loetje moest eerst even haar soepballetje opeten. Toen zei ze: 'Hoi. Ik ben Loetje. Wie ben jij?'

'Bor,' zei hij, net of hij een boertje liet.

De dunne man kwam erbij staan. Hij legde een hand op Bors schouder.

'Breng jij dit meisje maar eens naar de kamer naast jouw kamer,' zei hij. 'Daar mag ze slapen.'

Bor slofte naar de gang en Loetje volgde hem. Hij had een mooie pyjama aan, met veel wakkere woorden erop.

'Waarom zijn jullie hier?' vroeg Bor.

'Om te eten en te slapen,' zei Loetje.

'Ja maar waarom?' zei Bor.

'Nou daarom,' zei Loetje.

'Denk je niet aan iets waarvan ze zeggen dat je er niet zoveel aan moet denken?' vroeg Bor.

'Ik denk aan zoveel,' zei Loetje. 'Wat ik denk is veel groter dan mijn hoofd zelf. Ik kan bijvoorbeeld aan een berg denken die zo groot is als een heel land. Of aan de hele wereld. Ik kan zelfs denken aan meer en verder dan de wereld.'

'Dat is ver,' zei Bor.

'En jij?' vroeg Loetje.

'Ik denk veel aan spoken en geesten,' zei Bor, 'dat doe ik expres. Ze zeggen dat die niet bestaan. Maar ze bestaan door niet te bestaan, want ze zijn niet van vlees, ze zijn gemaakt van iets dat er niet is. En ik kan ze in mezelf denken wanneer ik maar wil. Maar soms denk ik ook aan ze als ik het niet wil. Dan denk ik bijvoorbeeld dat er een spook kan komen uit de gaatjes in de wastafel.

Vooral dan als je blauwe tandpasta hebt gebruikt en uit-
gespuugd boven die gaatjes. Met witte tandpasta werkt
het niet, denk ik.

Of dat er bijvoorbeeld, als je 's nachts naar de wc moet,
dat er dan een uit de wc-pot omhoog komt, net als je erop wilt gaan zitten. Dan moet je hem gauw doortrek-
ken.

Of dat er een onder je bed ligt die eerst heel klein is, maar binnen de kortste keren almaar groter wordt, zodat je, als je zelf in bed ligt, klem komt te zitten tegen het plafond. Maar als het licht wordt, dan verdwijnt hij opeens en dan donder je met bed en al weer naar beneden.

Of er is er een die zo op een gordijn lijkt, dat je eerst denkt: daar wappert een gordijn. Maar dat is er dan een die vecht om los te komen en de andere helft van het gordijn roept: hou stil, ik kan niet rustig hangen. En dan eindelijk slaat de wind het raam dicht en ze komen tot rust.

Of je hoort almaar iets tikken in het donker en dan is er
een klopgeest die zit vast in de buis van de verwarming.
Die kruipt in de verwarming en duwt de knop los en
komt de kamer binnen zonder verder nog te kloppen.'

'O,' zei Loetje, 'dat wist ik niet.'

'Ik weet het ook niet,' zei Bor, 'maar zo denk ik dat. Je mag het niet verder vertellen, want ik mag het niet denken. Beloof je dat?'

'Ja,' zei Loetje. 'En ik wou eigenlijk denken dat ik een vogel was, want ik ken er zo een. Dan denk ik dat en dan ben ik dat.'

'Goed,' zei Bor. 'Nu weet ik wat je denkt. En dit is je kamer.'

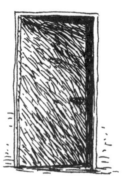

28

In de blauwe salon was de dunne man bij Warre en Tine en de redder komen zitten.

'Zo,' zei hij, 'heeft het gesmaakt?'

'Ja hoor,' zei de redder, 'wat krijgen we nu?'

'Nu moeten jullie maar eerst eens vertellen wat voor gedachten jullie hebben die jullie graag kwijt willen raken.'

'Ik heb gedachten die ik helemaal niet kwijt wil raken,' zei Tine, 'namelijk dat ik me wil wassen en dan een lekker bed wil. Daar denk ik nu vooral aan en dat zijn prettige gedachten.'

'Volgens de vrouw bij de ingang konden we hier overnachten,' zei Warre, 'maar ik begin te denken dat we hier niet echt horen, in dit gebouw. Dit is duidelijk geen gewoon hotel.'

'Ja, dat denk je dan, hè,' zei de dunne man begrijpend.

'Ja,' zei Warre, 'we moeten alleen maar herstellen van een vermoeiende dag zoeken. En we hebben natuurlijk wel eens ongeruste gedachten, maar meestal zijn die achteraf toch niet nodig. Dus we horen hier niet.'

'Jullie zitten op de verkeerde afdeling,' zei de dunne man, 'kom maar mee.'

Ze liepen weer de blauwe gang op.

'En Loetje dan?' vroeg Tine.

'Die heeft al een prima kamer en ik zorg voor haar,' zei de dunne man geruststellend.

Nu liepen ze door de gele gang.

'Waarom is alles hier geel?' vroeg Tine.

'Omdat dit de gele afdeling is,' zei de dunne man. 'Dat

kun je op deze manier goed zien. Hier herstellen mensen die erg moe zijn geworden omdat ze almaar niet goed kunnen zeggen wat ze denken.'

'Wat naar nou,' zei Tine, 'mag ik even naar binnen kijken?'

Ze deed de gele deur van de gele salon open en stak even haar hoofd naar binnen. Haar hoofd werd er een beetje rood van. Ze keek recht in het gezicht van een andere vrouw.

'Ik kijk alleen maar even, hoor,' zei Tine.

'Ja dat zegt u,' zei de vrouw boos, 'maar het is altijd eventueel of toch hoe zal ik wacht u even!'

Meteen kwam er een man bij staan.

'Obsoleet!' riep de man, 'zonder pergola is de ontsnippering evident en dat is desbetreffend!'

Tine haalde haar hoofd terug.

'Ik begrijp ze niet,' zei ze, 'maar ze waren boos.'

'Ja dat is waarom ze zo moe zijn,' zei de dunne man, 'ze bedoelen wat.'

Tine zei maar even niets meer. Ze liepen de hele gele gang door en kruisten een groene gang.

'Wat zitten hier voor mensen?' vroeg Tine.

'Hier zitten mensen die almaar denken dat ze mislukken,' zei de dunne man. 'Wij proberen dat te herstellen. Wij zeggen bijvoorbeeld de hele tijd *Nou, heel goed hoor*, of *Ga zo door! Echt, prima!* of *Dat zal wel lukken met jou, zeker weten*. Zulke dingen.'

'Ik snap dat,' zei de redder, 'ik had dat ook, de laatste keer dat ik iemand moest redden. Ik ga even kijken.'

Hij stapte de groene deur van de groene salon binnen. Daar zaten een stuk of vijftien mensen. Ze zaten te willen beginnen met iets zonder het te durven.

Hij ging op zijn hurken zitten bij de stoel van een jongen.

'Hallo,' zei hij, 'lukt het met herstellen?'

'Nee,' zei de jongen, 'alles breekt altijd overal. Alles.'

'Wat naar,' zei de redder, 'maar wat wou je dan doen dat het brak?'

'Ik wou iets maken waar de hele wereld op wacht,' zei de jongen, 'maar het lukt nooit nergens.'

'Dat is wel veel, de hele wereld,' zei de redder, 'kun je niet beter beginnen met iets waar één iemand op wacht? Dan zal ik die ene iemand zijn. Ik zal wachten tot het af is. Goed?'

'Maar ik weet niet of het lukt,' zei de jongen. 'Ik ben zo bang dat het breekt.'

'Sommige dingen zijn gebroken ook best goed,' zei de redder. 'Een gebroken koekje is nog net zo lekker. En gebroken wit is ook wit. En er zijn heel beroemde kunstwerken die gebroken zijn of waar een stukje af is. Soms is het allerberoemdste ervan juist dat er een stukje af is.'

'O, is dat zo,' zei de jongen.

De redder beloofde te wachten en hij hoopte toch dat de jongen iets helemaal heels zou maken.

Toen kwam hij terug naar de gang. Hij zag er gelukt uit. Hij had hetzelfde soort gevoel als na het redden, en dat gevoel wilde hij nog even goed bewaren.

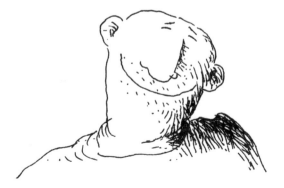

Ze liepen een roze gang in. De dunne man opende twee slaapkamers, een voor de redder en een voor Warre en Tine. Ze gingen naar binnen om er even aan te wennen. Ze konden aan het donkere uitzicht niet zien of het mooi was. De dunne man zei dat het uitzicht bijzonder mooi was en dat geloofden ze dan maar. Hij gaf hun alledrie een paar sloffen.

'Die moet u aan,' zei hij, 'niemand draagt hier schoenen. Schoenen zitten vol buitenvuil.'

Een beetje lacherig deden ze de sloffen aan. Die waren zo groot en zacht, dat ze er vanzelf vreemd in gingen lopen, als clowns.

'En nu breng ik u naar de salon,' zei de dunne man.

'Ik wil me wassen en naar bed,' zei Tine.

'U krijgt nog wat te drinken,' zei de dunne man.

'Ja maar,' zei Warre, 'ze weten daar toch wel dat wij hier eigenlijk niet horen, hè?'

'Ja, dat weten ze,' zei de dunne man, 'ze weten dat u dat denkt.'

Hij opende de roze deur van de roze salon en duwde hen zachtjes naar binnen.

Meteen kwamen er wel vijftien mensen op hen af, heel verschillende exemplaren, grote en kleine, dikke en dunne, oude en jonge. Ze keken alsof ze oude vrienden waren, maar dat waren ze helemaal niet.

'Wat fijn dat jullie er zijn!' riepen ze, 'met jullie erbij is alles nog fijner dan het al was!'

Ze omhelsden ze en knuffelden ze en gaven ze wel vijf zoenen. Linkerwang, rechterwang, weer linkerwang, weer rechterwang, nog een keer linkerwang.

Van schrik durfden ze niet te bewegen.

'We komen alleen maar om te eten en te slapen,' zei de redder.

'We horen hier niet eens!' riep Warre.

'Ja,' zei iemand van die onbekende mensen begripvol, 'dat weten we. Wat een naar gevoel, hè. Dat hebben wij ook gekend. Maar je zult zien hoe gauw dat overgaat bij ons. We zullen jullie laten voelen dat jullie hier helemaal horen. Helemaal bij ons, hoor, fijne mensen dat jullie zijn!'

En weer begonnen ze hen te omhelzen.

Ik ben moe, dacht Warre.

Ik wil me wassen, dacht Tine.

En de redder dacht maar liever even niet.

29

Zes dagen lang deden Loetje en Bor of ze elkaar al jaren kenden. Ze zaten naast elkaar aan tafel. Ze speelden samen buiten en als niemand anders hen zag waren ze spook voor elkaar of vogel. De mensen van het horstel vonden dat het goed met ze ging.

Op de zesde dag zei de dunne man: 'Ga maar even rustig zitten. Dan ga ik even rustig met jullie praten. Waar denken jullie aan?'

'Ik denk aan een grote berg,' zei Loetje.

En Bor zei: 'Ik denk ook aan een berg.'

De dunne man was daar tevreden over. Hij belde naar de moeder van Bor en zei dat Bor wel weer naar huis kon, omdat hij erg was opgeknapt en niet meer aan spoken en geesten dacht, maar aan bergen.

'Aan bergen,' zei Bors moeder tevreden, 'wat een hoge gedachten. Ik zal hem morgen komen ophalen en dank u wel voor de moeite.'

Al die dagen had Loetje niet meer echt aan Viegeltje gedacht. Bor vloog niet weg en je kon goed met hem praten. Ze had hem verteld van de zwarte tegels waar ze bang voor was. En Bor kende die straat wel. Hij woonde niet zo ver daarvandaan. Loetje dacht ook niet meer aan Warre en Tine. Bor was genoeg. Ze waren samen op vakantie en dat was leuker dan zoeken zonder te weten waar je zoeken moest.

En al die tijd was Viegeltje niet ver weg. Ze sliep vier kamers verderop. Vroeg in de morgen vloog ze naar buiten om te gaan badderen in de beek. Ze at en dronk wat ze maar lekker vond. Ze speelde en fladderde en vloog rondjes boven het bos. En zodra de zon niet meer tussen haar tenen kietelde, vloog ze terug naar haar nest in het gebouw.

Maar toen de zesde dag voorbij was, wachtte Viegeltje lang met teruggaan. Ze wachtte tot het helemaal donker was. En ze vloog per ongeluk het verkeerde kamertje in: het kamertje van Bor.

Bor was bezig in slaap te vallen, maar toen hij in het beetje licht van het nachtlampje een spookje zag binnenvliegen, deed hij zijn ogen weer zo wijd mogelijk open.

Viegeltje zag dat het bed al bezet was. Ze fladderde tegen het plafond en de muren op en bleef toen roerloos zitten op de stoel.

Bor bewoog ook niet.

Hij bleef kijken naar het donkere spookje. Hij zag wel dat het een klein spookje was. Niet echt gevaarlijk. Gevaarlijke spoken zouden er heel anders uitzien in het licht van een nachtlampje.

Zo bijvoorbeeld:

Of zo:

Het spookje bleef onbeweeglijk zitten. Bar hoorde het ademen. Hij wist niet dat spookjes konden ademen. Adem klonk zo levend.

'Hallo,' zei hij. 'Ik ben helemaal niet bang, hoor.'

'Iep,' zei het spookje.

Bor had altijd gedacht dat spookgeluiden veel oe's en aa's hadden, en juist geen ie's.

'Ik weet dat jullie niet bestaan,' zei hij langzaam. 'Maar tegelijk ook niet niet en dat is wel. Ik zie wel dat jij daar niet niet zit. Ik zou eigenlijk niet niet iets te drinken aan je moeten geven. Dat doen wij thuis niet niet als iemand niet niet op bezoek komt, dus dat zou niet niet moeten, of vind je niet niet niet of welnee?'

Viegeltje was heel moe geworden. Ze zakte scheef tegen de leuning van de stoel, stopte haar koppetje tussen haar vleugels en viel in slaap.

Bor bleef naar dat donkere spookje kijken. Hij zou er graag even aan voelen, maar hij durfde niet. Misschien schoot zijn hand er wel dwars doorheen. En als je geen vel voelde, wat voelde je dan? Iets dat leek op jam of snot of wolk? Langzaam kroop hij onder de dekens uit. Hij ging op zijn knieën zitten.

En zo voorzichtig en zachtjes als hij maar kon deed hij het raam dicht.

30

Toen Bor wakker werd, zat er niets meer op de stoel. Zie je, dacht hij, spoken kunnen dwars door dichte ramen weggaan. Daar weet ik alles van.

Hij wilde meteen aan Loetje gaan vertellen wat er was gebeurd. Loetje was de enige in heel dat grote gebouw aan wie hij het kon vertellen. De anderen zouden alleen maar denken dat hij nog lang niet hersteld was.

Loetje zat op haar bed naar de lucht te kijken.

'Moet je horen,' zei Bor, 'vannacht heb ik echt een spook gezien.'

'Hoe zag het eruit?' vroeg Loetje.

'Nogal klein,' zei Bor, 'en ongevaarlijk.'

'Is het nou weg?'

'Ja. Dwars door het dichte raam.'

Loetje liep met Bor mee naar zijn kamer.

'Daar zat het,' zei Bor en hij wees naar de stoel.

'Zag je het in het donker of in het licht.'

Bor had het wel in het donker gezien, maar toch was er een beetje licht geweest, van het nachtlampje. Want als het echt helemaal donker is kun je wel van alles willen zien, maar je ziet het niet.

Bijvoorbeeld een levende dode

of een vierkante cirkel

of een droge oceaan.

'Het spook is weg, hè,' zei ze, 'dat heb je als het licht wordt.'

Ze wilde weer weglopen.

Maar opeens hoorde ze: 'Iep.'

Het kwam onder Bors bed vandaan. Loetje bukte zich en keek. Ze zag Viegeltje liggen, helemaal in een hoekje.

'Viegeltje!' riep ze.

Ze kroop onder het bed en trok Viegeltje tevoorschijn. Ze blies het stof van haar vleugels af.

'Ben je daar?' zei ze.

'Iep,' zei Viegeltje.

Bor keek met grote ogen toe. Dit was helemaal geen spookje. Dit was een meisje in de vorm van een vogel. Of een vogel in de vorm van een meisje. Of iets daartussen-in.

Viegeltje fladderde tegen het plafond en liet zich toen op de stoel neerploffen. Ze bleef onbeweeglijk zitten.

'Waar was je?' zei Loetje, 'we hebben je gezocht. We hadden nog geen dag gezegd en zo.'

'Dieg,' zei Viegeltje zacht.

'Dag. Ja, dag. Nu heb ik het gezegd. Je mag niet wegvliegen zonder dieg te zeggen. Je mág helemaal niet wegvliegen, want ik ga Tine en Warre en de redder zoeken. Die zitten op de roze afdeling en die waren je ook aan het zoeken. Maar ze waren moe geworden van het zoeken en ze wilden even uitrusten. En ze houden maar niet op met uitrusten, want ze komen maar niet naar me toe om te vragen of het goed met me gaat.'

'Ik miet un bieteriemetje mit pindekies,' zei Viegeltje.

'Ja, dat krijg je.'

Loetje en Bor kleedden zich aan. Ze gingen ontbijten. Loetje maakte een dikbesmeerde boterham met pindakaas klaar en ze brachten die naar Viegeltje. Viegeltje lag weer onder het bed.

Op de vloer dwarrelden losse veertjes.

'Nu gaan we Tine en Warre en de redder halen,' zei Loetje.

Ze lieten Viegeltje weer achter en liepen naar de roze afdeling. Voorzichtig klopten ze op de deur van de salon. Een van de mensen van het horstel kwam om het hoekje kijken.

'Wat willen jullie?' vroeg hij.

'We moeten Tine en Warre en de redder spreken,' zei Loetje, 'we hebben een verrassing.'

Even later kwamen ze alledrie de gang op. Ze hadden hun grote sloffen aan.

'Kom mee,' zei Loetje, 'ik heb een grote verrassing.'

'Nee, we komen niet mee,' zei Warre, 'we blijven hier.'

'We horen hier,' zei Tine.

'Ja,' zei de redder, 'en het is heel fijn. We horen allemaal bij elkaar. Jammer, hè, voor jou, dat jij hier niet hoort. Jij hoort ergens anders.'

'Maar we hebben Viegeltje gevonden,' zei Loetje.

Alledrie hielden ze hun mond. Ze dachten na. Het was net of ze allerlei dingen die vooraan in hun hoofd zaten opzij moesten schuiven. Toen kwam er iets tevoorschijn dat helemaal achteraan in een hoekje was weggestopt.

'Vliegeltje!'

Tine kreeg opeens tranen in haar ogen. 'Het was de knussigheid hier,' zei ze, 'alles was zo knussig dat ik nergens anders meer aan dacht.'

'En ik heb helemaal niet meer gedacht dat er misschien ergens een opgegeten meisje lag dat ik had moeten redden,' zei de redder. 'Het was wel gezellig om dat niet te denken.'

'Is Viegeltje helemaal heel?' vroeg Warre.

'Helemaal,' zei Loetje, 'kom maar mee.'

Maar eerst wilden ze nog even dag zeggen aan de mensen in de roze salon. Dat duurde wel een halfuur. Ze kwamen met rode wangen terug.

'We zijn altijd welkom bij iedereen daar,' glunderde de redder. 'We mogen altijd komen en hun deuren staan altijd open.'

Met grote passen liepen ze achter Loetje en Bor aan, door de lange gele gang naar de groene gang en daar de trap op naar de bovenste verdieping.

Voor de deur van Bors kamertje stond een schoonmaakster. Ze had een karretje bij zich waar al haar spulletjes op stonden.

'Ho!' riep Bor, 'niet schoonmaken daar!'

'Ik heb het hier al schoongemaakt,' zei de vrouw.

'Ook onder het bed?'

'Ja hoor es, dat hoef ik niet elke dag te doen.'

Onder het bed lagen wolkjes stof. Het raam stond wijd open. Voor de frisse lucht. En buiten, in de verte, zag Warre door zijn verrekijker iets vliegen dat niet in zijn vogelboek stond.

'We zijn te laat,' snifte Tine, 'hadden we maar eerder aan haar gedacht. Nu heb ik nog steeds geen dag gezegd.'

'Ik wel,' zei Loetje. 'En ik heb haar nog een boterhammetje gegeven ook. Haar lievelingsboterhammetje.'

'Het werd te onrustig,' zei Warre, 'daar houdt ze niet van.'

Ze keken nog lang naar de lucht. Het was prachtig weer om weg te vliegen.

31

Ze zaten nog lang in het kamertje van Bor. Ze haalden veertjes onder het bed vandaan en bliezen ertegen.

'Ik ga vandaag weer naar huis,' zei Bor, 'mijn moeder komt mij halen.'

'Ik moet ook naar huis,' zei Loetje, 'want mijn vader komt weer thuis. Ik mag met Bors moeder meerijden, heeft Bor gezegd.'

'Maar nu weet ik nog steeds niet of er ergens een opgegeten meisje ligt,' zei de redder.

'En ik heb nog steeds geen dag gezegd,' zei Tine, 'ik dacht even, het hoeft al niet meer, maar het hoeft toch.'

'Viegeltje is in zuidelijke richting weggevlogen,' zei Warre, 'en het zuiden is groot.'

'Moeten we dan maar naar huis gaan?'

'We kunnen voor je-weet-maar-nooit nog een klein stukje naar het zuiden gaan,' zei Warre, 'tot het te warm wordt of tot het niet meer hoeft of tot we te moe zijn. Dan hebben we gedaan wat we konden.'

Buiten kwamen er auto's aangereden. Allemaal mensen die hun kind of hun vrouw of hun man kwamen halen of de groeten kwamen brengen.

De moeder van Bor was er ook bij.

Ze vroeg of Bor het fijn had gehad en ze wilde graag ja horen.

'Ja,' zei Bor. Hij liet Loetje aan zijn moeder zien alsof ze iets nieuws was dat hij had gekregen. Zijn moeder vond het goed dat Loetje meereed. Maar eerst moesten ze afscheid nemen. De dunne man en de vrouw die bij de ingang hoorde kregen een snelle hand. Het afscheid van Tine, Warre en de redder duurde veel langer. Ze beloofden elkaar nog eens op te zoeken, en ze schreven elkaars adressen en telefoonnummers op kleine papiertjes die makkelijk konden wegwaaien. Ze stopten de papiertjes diep in hun zakken.

En toen ze wegreden bleven Tine en Warre heel lang en zo mooi mogelijk uitzwaaien.

'Ik ben zo terug,' zei de redder intussen.

Hij rende naar binnen, naar de groene afdeling. In de salon zag hij de jongen zitten die iets voor hem zou maken.

De jongen keek opgelucht.

'Je hebt er dus op gewacht,' zei hij. En hij pakte een

homp klei. Er zaten een paar barsten in, maar er was verder niets aan gebroken.

'Dit heb ik gemaakt,' zei de jongen. 'Ik noem het *Gedachten.*'

'Het is mooi,' zei de redder, 'het lijkt wel wat op gedachten die ik soms heb.'

'Dus u vindt dat het gelukt is?'

'Ja zeker. Nou en of.'

'Dus u denkt niet: die barstjes, dat is toch iets mislukts aan het geheel?'

'O nee hoor,' zei de redder meteen, 'die horen wel bij gedachten.'

De jongen keek nog opgeluchter.

'Ik heb het beeld gebakken,' zei hij, 'dan is het steviger.'

'O prima,' zei de redder, 'stevige, gebakken gedachten. Mag ik ze meenemen?'

'Ja,' zei de jongen, 'en ik ga nieuwe maken. Misschien zijn er nog meer mensen die ze willen hebben.'

De redder gaf hem een stevige hand en daarna rende hij weer naar buiten.

'Wat heb je daar nou?' zei Tine.

'Iets dat iemand speciaal voor mij gemaakt heeft,' zei de redder. 'Het heet *Gedachten.*'

'O,' zei Tine. Ze probeerde het beeld te begrijpen. Maar haar gedachten zagen er heel anders uit.

Daarna namen ze de weg naar het zuiden. Ze praatten samen over Loetje en over de mensen op de roze afdeling. En daarna praatten ze over Viegeltje. Ze liepen samen over paden die bedoeld waren en paden die ontstaan waren. De paden die bedoeld waren, had iemand eerst bedacht en uitgetekend en zo waren ze in het echt aangelegd. De andere paden waren ontstaan, gewoon doordat daar veel mensen hadden gelopen. En als er maar genoeg mensen ergens willen lopen, dan ontstaat daar vanzelf een pad.

Ze keken naar de lucht en onder de struiken.

Soms rook Tine ergens aan. Dan zei ze: 'Ruik je? Alles ruikt verschillend.'

En dan roken ze alledrie even. Aan een bloem. Aan een beestje. Aan elkaar.

'Ja,' zeiden ze, 'we ruiken veel verschillen en we weten niet hoe we ze moeten noemen.'

En de zon stond boven hen en scheen.

32

Twee dagen lang liepen Tine en Warre en de redder naar het zuiden. Ze keken naar boven en naar beneden, naar links en naar rechts. En naar alles wat tussen links en rechts in zat.

Ze zagen weer veel, maar geen Viegeltje.

En het zuiden hield maar niet op.

De eerste nacht sliepen ze in een hooiberg. Er sliepen nog twee andere mensen in die berg. Maar die wilden niet *hallo* of *hoi* zeggen.

'Wij zijn er niet, wij zijn er niet,' zeiden ze alleen maar.

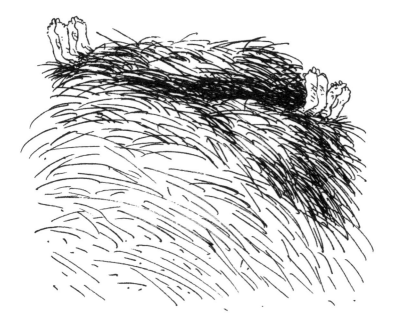

De avond van de tweede dag kwamen ze bij een varkensstal waarvan een mensenhuis was gemaakt.

Ze liepen om het huis heen en zagen in de achtertuin een tafel staan. Op die tafel stond een stoel. Op die stoel stond een kruk. Op die kruk lag een boek. En op dat boek stond een jongen van een jaar of twintig. Hij stond ondersteboven, met zijn benen wijd en zijn armen gestrekt.

'Kijk eens wat ik durf!' riep hij.

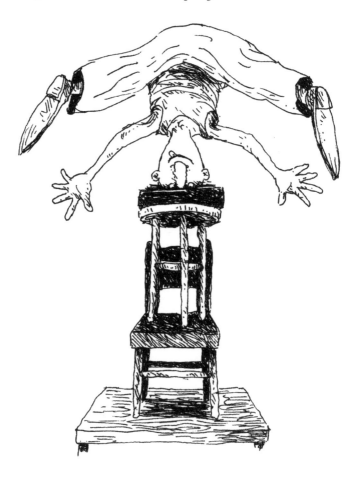

'Oe, val niet naar beneden!' riep Tine.

Meteen viel hij naar beneden, maar het deed niet echt pijn.

'Het deed geen pijn,' zei hij, 'ik wist het wel. Zagen jullie wat ik durfde? Hebben jullie goed gekeken? Jullie zagen het, hè? Jullie kwamen net op tijd!'

De redder wilde hem oprapen maar de jongen zei dat hij zichzelf wel kon redden.

Warre vroeg of ze misschien een nachtje konden blijven slapen. En dat kon. De jongen maakte in zijn huiskamer een groot bed van stro. Daar konden Warre en Tine liggen. En in zijn eigen slaapkamer regelde hij een slaapplaats voor de redder.

Daarna kregen ze wat te eten. Aardappelen en spekjes en zure room om de aardappelen in te prakken.

Toen het eten op was vroeg de jongen of hij asjeblieft mocht laten zien wat hij nog meer durfde. Het was nu eenmaal veel leuker om iets te durven als er iemand naar je keek. En als er iemand zei: 'Goh, jij durft!'

Ze liepen naar buiten. De jongen klom op het schuine dak en bleef erbovenop staan, op één been. Hij stond extra mooi op dat ene been, alsof hij zo weg kon vliegen.

'Hoe durf je!' riep Tine.

'Eerst durfde ik zoiets nooit!' riep de jongen naar beneden. 'Maar nu wel, want ik heb een beschermengel. Ik heb hem vannacht gezien. Het was een nogal klein uitgevallen beschermengeltje, maar dat maakt voor het beschermen niet veel uit. Dat zie je.'

Hij ging op zijn andere been staan.

'Ik kon vannacht niet slapen,' zei de jongen, 'ik wist niet meer van wat nu en straks. En toen zag ik dat engeltje opeens in de vensterbank zitten. Ik zag de vleugels. Ik heb mijn eigen beschermengel gezien.'

'Maar was dat niet...' begon Tine. Warre hield meteen

137

zijn hand voor haar mond.

'Sssjt,' siste hij, 'zeg niet hardop wat we denken. Hij staat op één been op het dak.'

'Goedgoed,' fluisterde Tine. 'Volgens mij heeft hij Viegeltje gezien. Maar we zeggen het niet. Want dan valt hij misschien naar beneden.'

33

Die avond zaten ze in de huiskamer van de jongen. De jongen had bier en warme melk en veel verhalen. Hij vertelde wat hij allemaal nog zou willen durven. Bijvoorbeeld:

Middenin de nacht door een oerwoud lopen zonder bang te worden voor de nacht of voor het oerwoud.

Over een touw lopen hoog boven

de diepte.

De tanden poetsen van een tijger.

'Maar ja,' zei hij, 'dan zou ik wel iemand moeten hebben voor wie ik dat durf.'

'Woon je hier dan helemaal alleen?' vroeg Tine.

'Eerst niet,' zei de jongen. 'Eerst woonde ik hier met twintig varkens, maar die kregen een nare ziekte en moesten allemaal dood. Toen was mijn werk dus ook helemaal dood en durfde ik niet goed met iets anders te beginnen. Ik was bang voor vreselijke ziektes. Maar nu durf ik weer alles.'

'Je zou een goede redder zijn,' zei de redder, 'redders moeten kunnen durven. Zou je dat niet willen worden? Ik kan je wel helpen dan, want ik ben zelf een redder.'

'O zie je wel!' riep de jongen uit, 'het is allemaal mijn beschermengel! Die heeft jullie gestuurd! Ik zou heel graag redder worden. Dat heb ik al vaak op televisie gezien. Dat is spannend en met veel bloed. Krijg ik dan ook bekers en medailles en zo? O, ik hoop maar dat er nog veel narigheid gebeurt, want dan heb ik veel te doen.'

Het was al laat toen ze gingen slapen. Warre en Tine kropen in hun strobed in de kamer en de redder vond zijn plekje naast het bed van de jongen.

De redder lag niet lekker. Het stro prikte in zijn rug en zijn billen. Hij miste zijn oude vader en moeder. Hij wist dat zijn moeder elke dag tussen de rode bloempjes door naar buiten zou kijken, of hij misschien weer eens thuiskwam. Hij dacht aan alle narigheid waar hij nu niet bij was en hij miste het redden. Hij wilde naar huis.

Toen opeens zag de redder hoe Viegeltje naar het open raam toe vloog en op de vensterbank bleef zitten. Zo, met het licht van de volle maan achter haar, leek ze echt op een engeltje. De redder lag te kijken. Niets bewoog aan hem. Dit engeltje was dichtbij en onbereikbaar. Hij wist het nu zeker. Er was geen opgegeten meisje en de wonderen waren de wereld nog niet uit.

Viegeltje bleef een klein poosje op de vensterbank zitten. Maar daarbinnen was het te vol en te benauwd. Ze vloog weer weg. Achter het huis kroop ze onder een tafel. Het was de tafel waar een stoel op stond. Het was de stoel waar een kruk op stond. Het was de kruk waar een boek op lag. Het was een boek over landschappen.

De redder viel dieptevreden in slaap. Hij droomde dat hij zelf vleugels had. Hij vloog boven de straat waar hij woonde. Zijn vader en moeder keken vanaf de stoep toe. Ze riepen: 'Om zes uur is het eten klaar! Kom je dan weer naar beneden? Het is je lievelingseten!' En ze riepen de naam van zijn lievelingseten, maar hij kon het niet verstaan. Hij verstond alleen maar *knurrewoemet vazebroede*. En hij had geen idee hoe lievelingsachtig dat zou kunnen smaken.

34

Aan het ontbijt vertelde de redder dat hij die nacht de je-weet-wel, de beschermengel, die ene, die ook van het jasje en van de veertjes, of wie dan ook of hoe, dat hij die had gezien, helemaal zelf, met zijn hoogsteigen ogen, middenin de nacht. Hij zei dat hij nu helemaal rustig was geworden en niet meer bang voor roofvogels. En dat hij graag terug wou naar huis. Als de jongen mee wilde mocht hij mee. Dan konden ze samen naar de reddings-dienst. Dan zou hij daar vragen of de jongen leerlingred-der mocht worden. Dat mocht vast wel als hij het voor de jongen vroeg, want hij was de beste redder van de hele hoofdstad en omstreken.

De jongen ging meteen zijn tandenborstel halen. Met z'n vieren liepen ze naar de bushalte, een halfuur verder-op. Ze wachtten lang tot er een bus kwam. Om het min-der lang te laten lijken, vertelde Warre nog iets over het leven van de mees en de kneu. En de redder vertelde al-vast aan de jongen op welke onverwachte dingen je het meest moest letten bij het redden. Er waren veel onver-wachte dingen. De jongen kon ze niet in één keer ont-houden.

Daarna namen Tine en Warre alvast afscheid, want daar heb je niet veel tijd voor als de bus opeens komt. De redder wist niet of hij Tine één zoen moest geven of twee of drie. De derde zoen bleef in de lucht hangen. Misschien hing de lucht al vol met zoenen die je niet zag, maar die er nog wel hingen. Ze beloofden elkaar te blij-ven opzoeken, en kaarten te sturen met Hoe-gaat-het-er-mee, Met-mij-gaat-het-goed.

Toen de bus eindelijk kwam, zeiden ze: 'Nou, we hebben al afscheid genomen.' Toch deden ze het nog een keer, anders was het zo kaal.

De redder en de jongen gingen achterin de bus zitten. Dan konden ze elkaar lang nakijken, net zo lang tot een bocht hen weg zou slikken.

Warre en Tine bleven samen achter, ergens tussen de hoofdstad en het zuiden.

'O Warre,' zei Tine.

'O Tine,' zei Warre.

'Waarom hebben al de anderen Viegeltje nog wel een keer gezien en wij niet? Ik heb zoveel voor haar gedaan.'

'Ze is misschien in de buurt,' zei Warre. 'Ze is almaar in de buurt gebleven. Ze was blijkbaar nog niet zo ver dat ze echt helemaal naar het zuiden ging. Laten we nog één dag hopen dat we haar weer zien. En daarna nog veel dagen denken dat het ging zoals het ging.'

Ze namen een zandpad, zonder op te letten of dat naar het noorden, het oosten, het zuiden of het westen liep. Het stoffige zand voelde zacht aan. Hun schoenen leken plotseling oud geworden.

Tine vroeg zich af hoe het geluid heette dat hun schoenen maakten door het zand. Op grind lopen, dat klonk als knirpen. Dit klonk meer als suzelen. Er was zoveel waarvoor geen woorden waren gemaakt. En je kon wel een woord bedenken, maar als niet iedereen dat woord kende, had je er niets aan. Behalve sommige woorden, sommige woorden hoefden maar een paar mensen te kennen om ze toch te kunnen gebruiken. Warre wist bijvoorbeeld precies wat ze bedoelde als ze *humsel me* zei of *je harpt zo.* Hij wist dat.

Plotseling hoorden ze een geweerschot.

Nu pas zagen ze in de verte een rij jagers. Die liepen heuvel op over een akker. Ze waren bijna boven.

'Niet schieten!' riep Tine verschrikt.

Maar dat hoorden de jagers niet. Ze zouden er ook niet naar luisteren. Want als ze niet zouden schieten, hoefden ze van zichzelf ook niet meer door die akker te lopen. Dan konden ze net zo goed thuisblijven.

Tine en Warre renden op de jagers af. Ze dachten er niet aan dat ze misschien vanuit de verte gezien op een ree leken of een haas of iets anders lekkers op pootjes.

'Hou daar onmiddellijk mee op!' gilde Tine. 'Willen jullie dat wel eens laten?! Weten jullie wel hoe gevaarlijk dat is?'

Hijgend stonden ze weer stil. Een tijdlang hoorden ze alleen de wind. Toen klonk er weer een schot, maar verder weg.

De jagers waren achter de heuvel verdwenen.

'We hebben hen verjaagd,' zei Warre trots.

Ze liepen weer de akker af. Hun schoenen waren zwaar geworden van de klei. Ze gingen er vanzelf anders door lopen.

Hun schoenen maakten op het asfalt een geluid dat ze nog niet eerder hadden gemaakt. Als er een woord voor bestond, zou het zo'n beetje klinken als het woord *slurf*, maar dan uitgesproken terwijl je inademde. Dat woord bestond al voor iets anders. Dat gaf niet. Er waren genoeg woorden die twee verschillende dingen betekenden. En toch dacht je niet steeds het verkeerde, als je ze hoorde.

Ze probeerden hun schoenen schoon te maken zonder hun handen vies te maken. Ze veegden een polletje mos vies. Ze raapten een tak onder een boom vandaan die als schraapmes kon dienen.

En toen zagen ze opeens iets liggen, half onder een struik.

Even leek het op een roofvogel. Maar het was iets dat niet in Warres vogel boek stond. Iets met beentjes. En met twee vleugels, daar waar bij de mensen armen zitten.

'Viegeltje!' riep Tine.

'Iep!' piepte Viegeltje.

146

35

Een schot hagel was dwars door het onderste stukje van
Viegeltjes linkervleugel gevlogen. Naar binnen aan de
buitenkant, naar buiten aan de binnenkant (daar waar
de zachte veertjes zaten).

Er lagen veel losse veertjes op de grond.

Warre tilde Viegeltje op en maakte weer een nest van
zijn armen. Tine verzamelde de losse veertjes. Misschien
kon ze die weer vastplakken waar ze hoorden, met alles-
aan-alleslijm.

'We gaan naar huis,' zei Warre, 'en meteen.'

Ze namen de eerste bus die langskwam. En op een sta-
tion waar de bus stopte, namen ze de trein.

Viegeltje bewoog niet. Ze leek wel bewusteloos. Heel
de reis lang bewoog alles om hen heen maar Viegeltje
niet.

Aan het eind van de dag kwamen ze thuis.

Het duurde twee dagen voor Viegeltje weer bijkwam. En het duurde nog veel langer voor de vleugel weer bruikbaar was.

Tine plakte de veertjes er toch maar niet op. Ze maakte er een klein nieuw vleugeltje van. Dat legde ze op een tafel, alleen om naar te kijken.

Langzaam maar zeker begon Viegeltjes linkervleugel weer bruikbaar te worden. Eerst flapperde ze er een beetje mee. Toen maakte ze kleine fladdersprongetjes. En algauw fladderde ze boven op de servieskast en bleef daar zitten.

'Ik denk dat ze weer weg gaat vliegen,' zei Warre. 'Naar het zuiden. Ik denk dat ze naar het zuiden wil. We houden het toch niet tegen.'

'Maar het is hier binnen toch lekker warm?' zei Tine.

'Jawel,' zei Warre, 'maar bepaalde vogels en anderen hebben dat nu eenmaal. Die hebben een drang naar het zuiden.'

Tine begreep het. Viegeltjes kon je niet houden, behalve in je gedachten.

'Dan moeten we op tijd dag zeggen,' zei ze, 'ik wil niet dat ze weer zomaar opeens weggaat zonder dat ik eraan kan wennen. Hoewel ik er nu eigenlijk al aan gewend ben.'

Diezelfde middag ging Warre naar de stad. Hij kocht een gouden ringetje dat precies om Viegeltjes rechter grote teen zou passen. *Gieje ries* stond er vanbinnen in gegraveerd.

Tine was de hele middag bezig om een lekker afscheidsdiner te maken. Soep met vermicelli. Vermicelli in de vorm van letters. Dan konden ze *dag* opeten en *tot ziens.*

En ze maakte pannenkoekentaart. En gestoofde spinnetjes op een bedje van graan. En gesmoorde tor op de wijze van Tine.

Ze dekte de tafel extra mooi. Viegeltjes eetapparaat versierde ze met takjes uit de tuin.

En ze trok een fles wijn open. Die fles bewaarden ze al heel lang voor een bijzondere gelegenheid. Al een paar keer hadden ze tegen elkaar gezegd, als een gelegenheid bijzonder leek: 'Is dit een bijzondere gelegenheid?'

Maar dan vonden ze die gelegenheid toch niet bijzonder genoeg.

Nu wel.

Ze dronken samen een fles leeg en werden er vrolijk van en lacherig. Ze huppelden achter Viegeltje aan door de kamer en kregen het gevoel dat ze echt een beetje van de grond loskwamen. Een klein fladderig beetje. Zo'n klein beetje dat je het niet kon zien, alleen maar voelen.

De ochtend na dat feestelijke etentje was Viegeltje vertrokken. Door het open raam de wijde lucht in. Naar het zuiden.

Tine en Warre zochten onder de tafel, op de servieskast, onder het bed.

'Ze is weg,' zei Warre toen.

'Naar het zuiden, hè,' zei Tine.

Ze wilde ook wel naar het zuiden. Maar ze hoorde bij het noorden. En in het noorden kon het best warm zijn, soms, als het niet koud was.

'Misschien komt ze een keer terug,' zei Tine.

Warre liep naar buiten en tuurde naar de lucht boven het landschap.

Even dacht hij dat hij Viegeltje nog zag.

Maar het was een vlekje op de verrekijker.

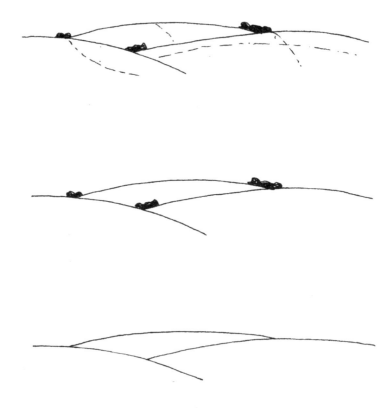